Véronique Bergen

de l'Académie royale de langue et
de littérature françaises de Belgique

Ulrike Meinhof

Histoire, tabou et révolution

Récit

EDITION SAMSA s.p.r.l.

www.samsa.be

Publié avec l'aide du Fonds national de la littérature.

ISBN 978-2-87593-272-3

Espace Pesce
Rue Berthelot 154
B 1190 Bruxelles

Ce livre a bénéficié de l'aide de la Fédération Wallonie-Bruxelles

Imprimé en Belgique
D/2020/13.163/12

En couverture : Ulrike Meinhof en 1964, graphisme © Samsa 2020

Dresde n'avait pas d'industrie d'armements (...) Dans l'ensemble de l'Allemagne, Dresde était considérée comme une ville qui ne devait jamais être bombardée (...) Mais Dresde a brûlé sept jours et huit nuits. Aux soldats anglais qui menèrent les raids, on n'a pas dit la vérité (...) On leur a raconté que Dresde était un important centre d'approvisionnements pour le front de l'est. On leur a dit que la cible était les quartiers généraux de la Gestapo au centre de la ville (...) Dresde a été réduite en ruines deux ans après que l'issue de la guerre avait été décidée à Stalingrad (...) Alors que la population allemande apprenait la vérité sur Auschwitz, les Britanniques apprenaient la vérité sur Dresde (...) À Dresde, le combat contre Hitler a dégénéré dans cela même qu'il entendait combattre et aurait probablement combattu : il est devenu barbare et inhumain, et il ne peut y avoir aucune justification. S'il nous fallait la preuve qu'il n'existe pas quelque chose comme une guerre juste, alors Dresde est cette preuve. S'il nous fallait la preuve que la position défensive doit toujours tourner à la position agressive, alors Dresde est cette preuve (...) Quand les auteurs des crimes ne sont pas dénoncés, c'est le peuple qui l'est.

Ulrike Meinhof, « Dresde », *Konkret* 3/1965.

MERCI À TOI, RIMBAUD

Ville de X. en Allemagne de l'Ouest, avril 1970.

La révolution ne ressemble jamais à elle-même. C'est là sa chance mais aussi sa défaite. Le problème, c'est qu'à la naissance, en sus de notre corps, on porte en soi le corps de l'Allemagne. Tout vient de là. La voix du nazisme obstrue nos bouches. Un abîme sépare les mots des actes. L'Allemagne année zéro n'a pas eu lieu. 1945, 1950, 1960 ne furent jamais qu'un faux présent miné par les spectres du passé proche. Comment décapiter l'hydre d'Hitler qui, prospérant au sommet de l'État, verrouillant les instances dirigeantes, s'est reconvertie en une barbarie légale ? À partir de quels « je » formera-t-on un « nous » vierge des cendres encore chaudes du nazisme ? Comment ne pas perpétuer la faute des pères dans les gestes mêmes qui nous dictent de l'expier ? Y a-t-il ou non transmission héréditaire du péché ? Qui, de saint Augustin ou de Pélage, aura vu juste ? Dans nos corps habitent deux maîtres inconciliables, deux temps que nul ne peut conjuguer de concert, la pointe du maintenant et les cercles du passé.

J'ai vécu parmi des mots qui sentaient encore le carnage, la folie, la guerre, des mots que je mettais en mouvement pour les arracher aux champs de sang. Si je naquis le 7 octobre 1934 à Oldenburg, trois mois après la Nuit des Longs Couteaux, quelques jours après la création des *Verfügungstruppen* affiliées à la SS, je vis le jour le 14 mai 1970 lorsque nous libérâmes Andreas Baader. Le seul vrai baptême se sacre dans l'illégalité puisqu'il n'est aucune liberté possible dans l'espace de l'État. Ceux qui désavouent la révolution seront, par nous, désavoués. Entre eux et nous, le divorce prendra la forme d'un pistolet-mitrailleur MP5 en travers d'une étoile rouge. « Année zéro » ; « tous pour tous » en lieu et place d'« un ou de quelques-uns pour tous » ; « un se divise en deux »… Je viens de comprendre que la guérilla urbaine requiert l'invention de mathématiques nouvelles. L'homme à venir ne jaillira pas de l'arithmétique de nos pères.

Par mon article « Hitler en vous » paru dans *Konkret*, j'avais touché l'ennemi, ôtant le voile démocratique dont s'affublaient le ministre de la Défense Franz Joseph Strauss et ses sbires, mettant en lumière le fascisme nouvelle formule qui rampait dans ces laquais de l'Amérique. « De même que nous avons interrogé nos parents sur Hitler, nous serons un jour interrogés sur Franz Josef Strauss » écrivais-je. Jamais mes yeux ne se fermeront sur des Viêt-côngs arrosés de napalm, jamais plus je ne laisserai courir mes mots en deçà de la ligne où ils se muent en actes. La théorie sans la pratique, la science de l'insurrection sans la conscience de classes n'est que ruine de l'âme. Un siècle n'avance vers la lumière qu'à déblayer ses décombres et à refuser l'héritage des bourreaux. La maladie de la mémoire, Hölderlin l'avait soignée avant d'y être englouti. Mais, aujourd'hui, elle a gagné tous les états de conscience, toutes les représentations mentales. Jamais plus un de mes mots ne restera assis quand l'horloge de la planète sonne le temps de l'oppression. Je connais désormais le trait d'union qui jette un pont entre le verbe et l'action et qui prolonge la plume par la mitraillette.

Quels doivent être les premiers gestes de réveil d'une nation assoupie dans l'amnésie ? Primo, ne plus accorder la moindre crédibilité à ceux qui détiennent le pouvoir après l'avoir servi durant la guerre ; secundo, prolonger par l'action révolutionnaire le geste de Beate Klarsfeld giflant Georg Kiesinger, l'ex-nazi devenu chancelier ; tertio, destituer les Heinrich Lübke qui, architectes de camps de concentration, se sont reconvertis en président de la République. Nos bouches sont minées par les mensonges et lâchetés de nos pères, nos mains usées par les meurtres dont elles sont les filles. L'Allemagne est vieille, elle a l'âge de ses morts. L'Allemagne se grime pour le bal du capitalisme avancé. Putain de l'Amérique, elle aide Oncle Sam à parfaire le génocide des Vietnamiens. J'ai roulé mes phrases aussi loin que j'ai pu, les tendant comme des flèches, j'en ai fait des murs qui arrêteraient le réarmement du pays, la logique de l'atome, le règne des valeurs marchandes. Comme ma mère adoptive, l'historienne et activiste Renate Riemeck, a semé les siens, j'ai lancé mes mots à l'assaut de la presse à Springer, donné aux voyelles les couleurs de la révolte — le noir du A, le rouge du I, merci à toi, Rimbaud.

Pour ne plus entendre les gémissements des morts, pour donner abri à leurs cris, j'ai écrit en rafales, en crépitements mauves, en tirs groupés, j'ai écrit comme on naît, déchirant l'avant par des salves de lumière. Mais on ne convoque guère le passé à la table du présent par des mots. *Words, words, words*, toutes vos forêts ne hisseront pas hier jusqu'à aujourd'hui… Aucune armée de phrases ne fera sauter un tissu historique gangrené par la terreur. Pour que les paroles rejoignent la terre, il faut se confier à ce qui n'est pas elles, aux actes. À trop longtemps cheminer dans la république des lettres, on oublie que le Verbe s'est fait chair, que le verso des mots déverrouille les portes du monde réel.

Gagnés par le doute, beaucoup de combattants déposent les armes. Moi, ce sont les mots que j'ai déposés, repliant leurs ailes qui échouaient à communiquer leur envol à celui du monde. J'ai dit adieu à ce qui ne freinait point la barbarie, à ce qui laissait l'oppression s'engraisser. J'ai ouvert le Livre à l'endroit où il sortait de ses gonds.

Au commencement était l'action.

Qui arrachera au présent la maladie nazie ? Qui se lèvera pour balayer les Fritz Berg, les Hans Martin Schleyer occupant, tour à tour, le poste de patron de tous les patrons, tous deux *ex æquo* à l'école du crime, le premier ancien SS zélé, le second, ex-bras droit de Reinhard Heydrich ? Qui permettra au peuple d'écrire l'Histoire au lieu d'être écrit par les descendants des Corps Francs ? Qui veut rédiger l'Histoire doit s'arracher à ses pages et délaisser le calame. Plus aucune phrase ne coulera à pic dans l'encrier. Le baptême de l'action est à lui-même sa propre justification. Nous déterrerons les tortionnaires enveloppés dans le repos de la mort et neutraliserons ceux qui écument la vie à coups d'axiomes impérialistes. La limitation des mots, c'est qu'ils ont la vitesse de leurs lecteurs. La force de l'action, c'est de conjoindre les deux temps en un seul, de faire de l'émetteur et du récepteur une unité. Désormais, notre corps n'est plus qu'un Vietnam luttant pour sa libération. Désormais, la procréation ne passe plus par les pères mais par nos frères opprimés. L'étoile rouge sauvera l'étoile qui « a pleuré rose au cœur de tes oreilles ». Merci à toi, Rimbaud.

Nos métropoles serviront de bases aux guérilleros du Tiers-Monde. Dans ce temps qui devrait être le nôtre mais que l'alliance du capital et du fascisme nous vole, qui est sujet révolutionnaire à part entière ? Il n'y a pas d'autre question. L'heure n'est plus à la patience historique ; il n'y a pas de lendemains qui chantent, rien qu'une insurrection de l'aujourd'hui. Nul ne sait si les conséquences d'un acte seront fidèles à son point d'impulsion, nul ne peut dire si l'étoile rouge ne creusera son propre trou noir. C'est pourquoi je dis « commençons ». Puisque notre présent est le fruit du passé nazi, il nous faut hâter l'avènement d'un futur qui soit le père de nos aïeux. Chaque seconde, il est midi. Chaque seconde, les chaînes fondent comme mensonges au soleil.

Laissant passer entre leurs lettres des significations qui les brisent, les mots se décomposent à l'infini. Même projetés en masses compactes sur les consciences qui somnolent, ils finissent en décorations florales sur les panses des nantis. Dégriffés, désarticulés, minéralisés, ils s'enlisent dans ce qu'ils dénoncent, se délestant de ce qui fait leur force : le bond. Harnachés de pied en cap, encagés, ils ne dansent plus sur le monde, ne creusent plus le jour dans la nuit, le rire dans la misère. Peu de gens ont observé comme je l'ai fait le devenir des phrases auprès des hommes qui les haïssent. Peu de gens se sont offusqués de voir la tragédie des textes bâillonnés, décapités, les appels d'Antigone recyclés dans les laminoirs de l'ordre. Peu de gens ont voulu sauver une pensée agenouillée dans ses cendres alors que ses ennemis la piétinaient. Un acte, pour peu qu'il soit précis en sa cause et en ses effets, ne meurt jamais.

Vocables et action ont en commun de ne pas avoir de masse, de glisser entre les choses, de traverser les cordonnées de l'espace-temps. Étrangers à l'être comme au non-être, les premiers et la seconde ont l'énergie de l'immatériel. Mais, si rien au monde ne peut faire trébucher la praxis, le drame des mots, c'est d'être souvent lus à rebours de leur visée. Lénine l'avait compris : « si vous voulez savoir ce que pensent les communistes, regardez leurs mains et non leur bouche ». Juste en dessous du mot « adieu » tracé par Rimbaud se découpe le bleu du ciel au bout de la Kalachnikov. À l'heure où dorment les astres, le lever de nouvelles galaxies se prépare… L'éternité par les astres, l'éternel retour de la révolution, Blanqui, c'est aujourd'hui. Au commencement était l'action.

Longtemps, j'ai cru au seul glaive de la parole, pensant qu'il triompherait de l'immonde. Mais comment s'en remettre à eux lorsqu'une balle de flic ôte la vie à l'étudiant Benno Ohnesorg, lorsque Rudi Dutschke baigne dans une mare de sang et que les États-Unis dépeuplent le Vietnam ? Venir à bout de l'impunité des puissants, ramasser les larmes des opprimés et en faire le creuset de la rébellion, nulle théorie ne le peut. La révolution post-copernicienne consiste à mettre les mots en orbite autour des actes. La mathématique à venir, c'est l'opération de division, c'est Mao et son « un se divise en deux ». La grammaire à venir, c'est le trou dans la conjugaison qui, faisant sauter le « vous », interdit de passer du « nous » au « ils ». La seule syntaxe à hauteur de la rupture pose le verbe avant le sujet, faisant naître celui-ci de celui-là.

Non, Luther, ce n'est pas seulement en soi qu'il faut destituer les idoles, dynamiter les jougs, mais aussi au-dehors. L'absolu de la liberté est un vœu pieux s'il n'est incarné à chaque instant, s'il transit seulement l'idée de la fleur sans s'inquiéter du bourgeon qui éclot. Ce n'est pas le concept de marche qui nous fera marcher. Je n'ai cure de l'image que les historiens, les politologues et autres chiens de garde dresseront de notre mouvement lorsque nous ne serons plus là. « Pas plus qu'on ne coupe une pièce dans une étoffe neuve pour en ravauder un vieil habit, pas plus ne met-on le vin nouveau dans de vieilles outres » : nul doute que Jésus parlait aussi du visage dont les révolutionnaires doteraient l'Allemagne de la seconde moitié du XXe siècle.

L'unique riposte à ce siècle-cimetière, ce sont les stratégies de lutte armée sur base des guérillas urbaines d'Amérique du sud, d'Uruguay en particulier. Ne regardez pas nos lèvres pour voir où nous allons opérer. Nos mains volent déjà dans vos bouches, nos grenades se lèvent plus vite que mille soleils. Vous avez tenté d'embourber nos paroles. Nous déferons vos manœuvres rampantes. Ne plantez pas vos harpons dans nos pensées, ne vous déguisez pas en Achab alors que vous êtes Moby Dick ou plutôt sa caricature humaine. Notre étoile rouge immobilisera vos marées de dollars et de cadavres estampillées « *made in U. S. A.* ». Méfiez-vous. L'opéra des gueux entonne son dernier acte. Sur le Léviathan, les légions de Spartacus s'apprêtent à déferler. Là où mes mots couraient plus vite que mon corps, mes agissements excéderont la vitesse des doctrines et des manifestes. Le temps des palabres est révolu. C'est pourquoi je dis « commençons ».

La protestation, c'est lorsque je dis que ceci ou cela ne me convient pas. La résistance apparaît lorsque je me soucie de ce que les choses qui ne m'agréent pas ne se produisent plus. Durant les protestations contre l'attaque dont fut victime Rudi Dutschke à Pâques, la frontière entre protestation verbale et résistance physique a été franchie pour la première fois à grande échelle : par plusieurs et non seulement par des individus isolés, durant des jours et non pas ponctuellement, partout et non pas qu'à Berlin, réellement et non pas uniquement sur un plan symbolique (...) Les balles tirées sur Rudi ont mis fin au rêve de la non-violence. Qui ne s'arme pas meurt, qui ne meurt pas est enterré vivant dans les prisons, les maisons de rééducation, dans le sinistre béton des tours résidentielles.

Ulrike Meinhof, *De la protestation à la résistance, Konkret* 5/1968.

COUP D'ENVOI

Ville de X. en Allemagne de l'Ouest, mai 1970.

Le hasard m'a fait naître un 7 octobre 1934 dans une nation s'affairant au carnage ; le hasard a voulu que mon enfance grandisse à l'ombre des bombes et côtoie des hommes qui allaient faire de la mort leur métier. Alors que, du haut de mes six ans, je me décidais à plonger dans la vie, l'Allemagne s'engageait dans une guerre qui faucherait ma jeunesse. Lorsque je commençais à déchiffrer le visage du monde, les nazis mettaient en bière le peuple du Livre. Je fus tirée des limbes lorsque l'histoire allemande choisissait le camp des ténèbres. L'année où je vins au monde fut aussi celle où Pirandello reçut le Prix Nobel, où Leonard Cohen, Alfred Schnittke, Bettino Craxi virent le jour tandis que Catherine Pozzi, Gustav Holst, Marie Curie s'en allaient à jamais.

Afin que le hasard ne gagne la partie, il faut lui reprendre ce qu'il nous a dérobé. En actant ma seconde naissance le 14 mai 1970, je lui damai le pion. Le prix à payer pour l'advenue de l'absolu n'est qu'un alibi pour faux prophètes. Nous, révolutionnaires, nous ne répandrons pas du sang pour que nul ne puisse en verser par la suite, nous ne sacrifierons pas un homme pour que soient libérés tous les autres. La vie n'a pas à être immolée sur l'autel des principes. Toutefois, si dans nos efforts pour être les artisans d'une histoire autre, des forces de répression s'acharnaient à nous annihiler, nous travaillerions à les réduire à néant. Toute la nuance est là. C'est caricaturer notre action que de la réduire au slogan « la fin justifie les moyens ». La lutte armée érige tout moyen au rang de fin, sans subordonner le présent à demain. Toute idée qui n'est pas un flambeau n'est qu'un ersatz de pensée.

Pieusement, j'ai attendu du monde ce qu'il ne voulait point donner. Résolument, je ferai venir le monde au point où son horizon coïncidera avec notre liberté. Le mouvement des étudiants fut et reste notre fer de lance. Plus qu'un anti-hasard, notre conviction est à elle seule un anti-destin. Le changement se produit lorsque le peuple des soutes s'empare du mât de cocagne et que ses pensées tournoient plus vite que les goélands. Le changement, c'est l'étoupe du mousse qui met le feu aux vagues. Au commencement était l'action.

Puisque ceux qui font l'histoire ont rarement le temps de l'écrire, dans quelques années, dans quelques décennies, de notre organisation, l'on taira ce qu'elle a été tandis que l'on épinglera des axes qui ne furent jamais les siens. Comment les siècles redistribuent les hauts faits et les actes ignobles, les heures de gloire et les nuits de la honte, nous ne le savons que trop bien. Bientôt, les Agamemnon qui tracent le cours du monde en asphyxiant sa sève verront toutes les Iphigénie leur sauter au visage. Bientôt, nous clamerons « point de cantiques : tenir le pas gagné », bientôt, « nous chierons dans vos ventres de grès ! ». Merci à toi, Rimbaud. Dans la rue, le vent de la rébellion projette les pavés en plein ciel. Brandissant la formule « faire de la maladie une arme », le SPK — le Collectif des Patients Socialistes fondé par le docteur Wolfgang Huber — relaie la culture underground si bien que le serpent des mers dégorgera peu à peu son sable noir caillé.

J'abandonne l'innocuité des mots, je glisse sous leur plan qui laisse le monde vaquer à ses crimes, retirant de leur ventre replet les grenades que l'insurrection dégoupillera. À l'heure que marque la seconde partie de ce siècle, l'innocence angélique n'est que la vassale du meurtre d'État. Au jour de leur anniversaire, il conviendra d'offrir aux disciples d'Hitler des cercueils tapissés de dollars.

Comment continuer à résister par la parole dans un pays où le parti communiste a été frappé d'illégalité des années durant, tandis que, trahissant la classe ouvrière, les socialistes du SPD se sont jetés dans les bras bourgeois du CDU, l'Union chrétienne démocrate, avides de se rallier aux chants du capital et de voter les lois de l'état d'urgence ? J'ai mené le pacifisme aussi loin qu'il pouvait aller, militant dans le Comité étudiant pour une Allemagne antiatomique auprès de Jürgen Seifert, au sein de l'Union allemande pour la paix présidée par Renate Riemeck, gagnant les rangs de l'opposition extra-parlementaire. Saluant l'initiative de Bertrand Russell, j'ai cru dans la fondation du Tribunal Russell chargé de juger les crimes américains au Vietnam. Dévorée d'espoirs, j'ai accueilli en mai 1967 sa première session ouverte par Russell, Sartre, de Beauvoir, Peter Weiss, James Baldwin et bien d'autres. D'avoir, durant des années, condamné tout recours à la violence, d'avoir tenté de bâtir une autre société avec la seule paix comme cartouche, je peux aujourd'hui désavouer la solution « tout sauf les armes » qui fut la mienne.

En assujettissant la brutalité du réel à un idéal de non-violence, en faisant passer le rêve avant la logique de l'action, j'ai renforcé l'oppression. La moindre détonation est un aveu d'impuissance au regard des principes de la gauche modérée, mais elle est un aveu de puissance au regard de la voie de la libération qu'elle dessine. L'emploi des armes ne signifie pas le recours au mal comme étape vers l'obtention du bien ; il est une composante intrinsèque du but que nous poursuivons. Aucune de nos actions n'est un instrument au service de notre visée. Entre la route et l'objectif, il n'est pas de différence. Les mots plantés en terre ne donneront des fruits que si une main les barde d'explosifs bien calibrés. L'Allemagne de l'Ouest a beau en interdire toute forme d'existence, elle ne réussira jamais à enterrer le communisme. La lutte armée nous mènera au cœur de l'azur. « Voilà qu'on aperçoit un tout petit chiffon d'azur sombre ». Merci à toi, Rimbaud.

Dans la nuit du 2 avril 1968, en signe de protestation contre l'indifférence de la société allemande à la guerre du Vietnam, quatre activistes boutent le feu à deux magasins de Francfort, symboles du consumérisme, le Kaufhof et le Schneider. En octobre, les incendiaires, Andreas Baader, Gudrun Ensslin, Thoward Proll et Horst Söhnlein sont condamnés à trois ans de prison ferme. Assistant au procès, je me lance dans un article où je loue leur geste de désobéissance civile ; de meeting en meeting, j'en appelle à la continuation de cette première salve de résistance, je hurle que d'autres incendies politiques démasqueront le fascisme du système. Relâchés en juin 1969, voyant leurs peines confirmées en appel, ils décident de passer à la clandestinité et c'est à leurs côtés que je me range. En avril 1970, interpellé lors d'un contrôle routier, Andreas est réincarcéré. En quelques jours, notre plan d'évasion sort de terre.

Le 14 mai 1970, mené de la prison de Tegel à la bibliothèque de l'Institut des Affaires sociales de Dahlem, Andreas arrive avec une escorte de policiers. Il n'y a pas de plan à suivre, il y a les tisons de l'été que nous devons lancer. Il n'y a pas Andreas et moi, assis à une même table, il y a la foule, les peuples du Tiers-Monde qui s'avancent dans la lumière du jour. Il n'y a pas Irene Gœrgens et Ingrid Schubert en faction dans le vestibule mais les flammes d'une vie autre qui dévorent leurs yeux. Je ne suis déjà plus celle que j'ai été, je suis une révolution en marche, un cyclone de couleurs porté par *A Whiter Shade of Pale*, « je suis rendu(e) au sol, avec un devoir à chercher, et la réalité rugueuse à étreindre ! », merci à toi, Rimbaud. Les livres de la bibliothèque, le rideau de silence, la lumière qui condense ses grains serrés aux abords de la fenêtre… il n'est rien qui ne nous épaule.

Tout semble aligné dans l'axe du monde et pourtant… Il ne s'agit pas d'une simple évasion. Il en va du coup d'envoi de notre organisation.

Les minutes qui tournent dans ma tête se préparent au nouveau calendrier où tous les hexagrammes conquerront la station verticale. Dans sa tension, le temps est prêt à se rompre. Un second commando masqué fait irruption, Gudrun, inflexible Antigone, et X, brandissant un Beretta. Le temps se hérisse, bondit dans toutes les directions, fait un pas de côté puis s'emballe. Quittant son bureau, le bibliothécaire Georg Linke s'avance à la rencontre de X. Le nouveau calendrier s'ouvre par un coup de feu. Le pistolet Beretta quitte son silence, le sang quitte le corps du bibliothécaire. Le destin des balles est de faire taire la musique des fers, de voler comme des baies, de se ficher dans le ciel pour accoucher des étoiles. Or, ici, elles s'écrasent, meurtrissant la chair, s'abandonnant à des convulsions de lumière pâle. Est-ce un homme qui a tiré sur un autre homme ou une idée sur une idée adverse ? Est-ce que le langage des armes a voulu être l'arme du langage ? Je hais X d'avoir fait parler son flingue contre un innocent. Bavardage des bouches molles et bavardage des revolvers témoignent d'un même ratage.

Pourtant, en ouvrant la fenêtre, j'ai la conviction d'ouvrir un nouveau monde. Me jetant dans le vide, aux côtés d'Andreas, je cesse d'être Ulrike, je deviens un collectif de résistance, un arsenal de lueurs rouges.

Au-delà de la barre du langage, j'ai sauté. Au-delà de la petitesse du « je », je suis passée. Non que le moi soit haïssable comme le prétend un auteur français janséniste, mais parce qu'il n'est qu'un mirage forgé par la société marchande. Me défenestrant, je traverse le double miroir de l'identité et du royaume des mots. Astrid Proll nous attend dans l'Alfa Romeo volée par Andreas en Italie. Les bruits de la ville couvrent notre fuite, étouffant les éclats de joie de Gudrun. La Fraction Armée Rouge est née.

Qu'est-ce que cela signifie porter les conflits à leur extrémité ? Cela signifie : ne pas se laisser massacrer. C'est pourquoi nous construisons l'armée rouge (...) Rendez clair le fait que la révolution ne sera pas une balade printanière. Que les porcs feront l'escalade des moyens aussi loin qu'ils le pourront, mais également pas plus loin (...) Faire que les conflits puissent en arriver à être accentués jusqu'à leur résolution, cela signifie : qu'ils ne peuvent plus faire ce qu'ils veulent, mais qu'ils doivent faire ce que nous voulons. C'est à eux que vous devez le rendre clair, ceux qui n'ont rien de l'exploitation du Tiers-Monde, du pétrole perse, des bananes de Bolivie, de l'or sud africain, qui n'ont aucune raison de s'identifier aux exploiteurs. Eux peuvent capter cela, que ce qui commence ici a déjà commencé, au Vietnam, en Palestine, au Guatemala, à Oakland et Watts, à Cuba et en Chine, en Angola et à New York. Eux captent cela, si vous leur expliquez que l'action de libération de Baader n'est pas une action unique et isolée, qu'elle ne l'a jamais été, mais la première de ce type en R.F.A.

Communiqué de la Fraction Armée Rouge, de la RAF, *Construire l'Armée rouge*. Déclaration pour la libération d'Andreas Baader du 5 juin 1970.

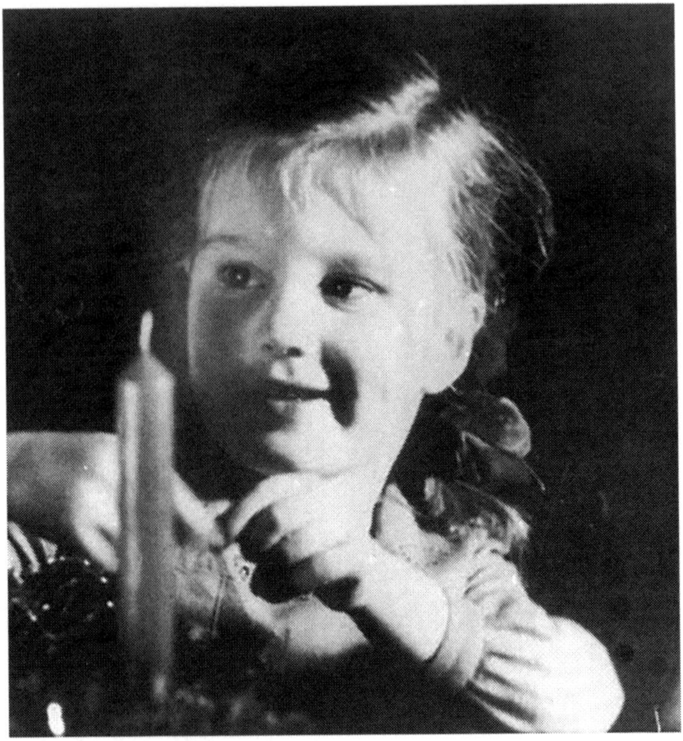

Ulrike Meinhof enfant.

LE SPECTRE DE NETCHAÏEV (I)

Prison de Cologne-Ossendorf, février 1973.

Dans cette aile silencieuse de la prison de Cologne-Ossendorf, dans cet enfer blanc rythmé par le seul bruit de mon cœur, je fais de la lutte que nous menons, ici comme au-dehors, mon interlocutrice de tous les instants. Les mots sont fourbes, erronés puisque parler d'aile pénitentiaire revient à faire de la taule un oiseau. Dans ma cellule, les sons sont interdits de séjour. On m'a aménagé une crypte ruisselante de lumière qui assassine le moindre bruit venant de l'extérieur. Je suis plongée vingt mille lieues sous la mer, là où seules mes pensées se propagent. Mais, on a beau me bombarder d'absence, de non-bruits, de non-visages, de non-paroles, les idées que j'ordonne, les sensations qui me traversent forment un bouquet de musiques, de sourires, de récits qui recomposent au-dedans ce dont on me prive au-dehors. La vie est ainsi faite qu'un organisme amputé de son milieu reconstitue en lui ce qui lui fait défaut.

Je recense les camarades arrêtés entre 1970 et 1972. Ingrid Schubert, Brigitte Asdonck, Monika Berberich, Irene Gœrgens, Horst Mahler, Ali Jensen, Ulrich Scholze, Astrid Proll, Werner Hoppe, Margrit Schiller, Carmen Roll, Manfred Grashof, Wolfgang Grundmann... Juin 1972 a marqué d'une pierre noire notre mouvement. Une chasse à l'homme sans précédent a fait tomber Andreas Baader, Jan-Carl Raspe et Holger Meins le 1er juin, Gudrun Ensslin le 7, Brigitte Monhnhaupt et Bernhard Braun le 9, moi-même et Gerhard Müller le 15, Irmgard Möller et Klaus Jünschke le 7 juillet.

Bien naïfs ceux qui se félicitent du démantèlement de notre réseau, applaudissant la mise sous les verrous de ce qu'ils appellent ses chefs historiques. Rien ni personne n'arrête une révolution en marche, nul ne pourra endiguer les vagues de guérilla qui monteront toujours plus haut, toujours plus radicales tandis que l'État, tout à sa cécité, s'enivre de compter les têtes tombées. Qui a fait le deuil du « je » et intégré la force du « nous » sait que dans les tapis de cendres sommeille, invisible, le phénix de l'insurrection. Notre mathématique s'articule autour d'un axiome : un corps couché au sol implique que deux corps se lèveront. Une bouche optant pour la grève de la faim n'est pas sans ignorer que des actions militantes éclateront à l'échelle du pays. Notre mouvement se déploie comme une gamme. Quand le *do* a résonné, les six autres notes ne tardent guère à éclore et son solfège a ceci de particulier qu'il ne connaît que des marées d'octaves. Ne scrutez pas l'océan car, à l'endroit où votre vigilance se relâchera, un mascaret suivi de milliers d'autres déferlera sur vos consciences. Une panoplie de menottes ne peut immobiliser la houle. Gavez-vous tant qu'il est encore temps. La balance de l'injustice va enfin briser ses plateaux avant de les rééquilibrer.

Lorsqu'un révolutionnaire se met à discourir, les dissidences présentes, passées et à venir s'agitent sur ses lèvres. C'est pourquoi, lors du procès, aux juges qui me feront face, je dirai « aujourd'hui, le monde se lève dans le rouge » tandis que Serge Netchaïev entrera en scène.

Une société fondée sur la tyrannie, sur la misère des serfs et des paysans sans terre a besoin d'un Érostrate ou d'un Karl Moor. Entre l'incendiaire qui donna le temple d'Éphèse en pâture aux flammes le jour où naquit Alexandre le Grand et le brigand révolutionnaire de Schiller, il n'y avait guère à hésiter. Je serais ce Karl Moor qui rendrait l'existence un peu plus douce aux pauvres, un peu moins aisée aux exploiteurs. Moi, Serge Guennadievitch Netchaïev, issu de la lie de la terre, j'entraînerais ma voix à devenir un fleuve où le peuple étancherait sa soif de justice, logeant l'Oural dans mes mains, la Volga dans mes jambes jusqu'à ce que la glace du despotisme fonde, précipitant à tout jamais le tsar et l'aristocratie dans les grands fonds. De même que la nature n'a prévu que deux sexes, la société n'a jusqu'ici envisagé que deux régimes. Côté vie et côté histoire, je serais l'inventeur d'un troisième type, au-delà du masculin et du féminin, au-delà de la monarchie et de la tyrannie. Au nom de ceux à qui on a fait un tort absolu, je m'élèverai contre l'ordre criminel qui a pour nom État. Au nom des humiliations dont hérite chaque russe pauvre à sa naissance, j'aiguiserai ma hache sur le cou des despotes au sang bleu.

Depuis que mon mouvement révolutionnaire a la hache pour emblème, depuis ce 4 avril 1866 où Karakozov tira sur le tsar Alexandre II, les jours des maîtres sont comptés. Si la figure de la révolution est celle de la spirale, son essence est celle d'une loi historique frappée du sceau de la nécessité de sorte que quiconque l'empêche d'advenir à maturité sera broyé par elle. Petit-fils de serfs, je rendrai aux miens la liberté dont on les a spoliés et briserai les âmes qui se mettront en travers de mon mouvement.

Le héros prométhéen fait partie des mythes du passé. Dès à présent, il n'y a d'héroïsme que collectif, dans la fusion de toutes les chairs offensées. Ne me parlez pas d'Oblomov. Les rues pullulent de ces belles âmes vautrées dans l'inaction coupable. Dans le mot « Russie », le point qui surmonte le « i » s'effondre sous le poids de la couronne tsariste qui l'opprime. Dans le mot « Russie », ce point impérial est de trop. La mascarade par laquelle l'on a affranchi les serfs tout en les privant de leurs terres touche à sa fin. Les champs, les pâturages reviendront à ceux qui les travaillent sans relâche. En chœur avec Blanqui, nous clamons « qui fait la soupe doit la manger » et son refrain « la mort d'un riche est un bienfait » court sur nos bouches affamées. 1825 et sa révolte des décembristes contre l'autocratie, c'est maintenant. Une haine d'un seul tenant, compacte, presque belle, habite la Russie des pauvres, laquelle sort de son engourdissement et jette par-dessus bord le fatalisme, le dolorisme séculaires que nos immondes poètes romantiques ont chantés. Tout ce qui n'est pas un rouage de notre mouvement sera précipité dans les fossés de l'Histoire. Ne me parlez pas de Gontcharov ou de Pouchkine, ces petits couturiers aux phrases larmoyantes qui n'ont jamais vu mourir un moujik et n'écrivent que pour les koulaks. Au cœur de leurs pages vierges d'encre, nous ferons brûler ces plumitifs, ces majordomes de la léthargie.

Il n'est pas de Russie libre tant qu'un homme gît, face écrasée dans la poussière. Pour servir la cause révolutionnaire, je me suis dépouillé de tout, de ma fonction sociale, de mon âge, de mon sexe, de mon nom car qui mène une guerre sans merci contre l'État doit d'abord porter le fer en lui-même afin d'expurger l'âme de tous les faux maîtres qu'elle vénère. La science de la destruction, je l'ai d'abord appliquée à moi-même. Je suis plus vide qu'au jour de ma naissance. D'une façon un peu courte, Bakounine a vu en ma personne un torrent d'énergie qui sacrifie toute morale, toute amitié au nom de l'intérêt de la révolution. Ayant rédigé avec moi Le Catéchisme du révolutionnaire, *il fut un temps subjugué par mon audace avant de condamner mon mélange de machiavélisme et de jésuitisme. Le vieux Bakounine aurait dû savoir que les impératifs de froideur et de cynisme que je m'inflige ne sont que les mamelles de la pureté. D'être né la bouche pleine de terre, la faim et l'humiliation m'ayant tenu lieu de jeunesse, de m'être heurté très jeune à cette fameuse résignation russe qu'aucune injustice ne parvient à secouer, j'ai compris qu'il n'y avait pas à attendre un soulèvement populaire spontané, tranchant comme une serpe, mais à constituer une avant-garde qui soit les lèvres, les yeux de la masse et qui mette le feu aux poudres. C'est parce que j'ai une haute idée de l'homme concret que je méprise ma propre vie et que je n'hésiterais pas à m'en séparer si sa disparition hâtait la révolution.*

Au fronton de l'an 1 du terrorisme, une seule devise : le feu des actes sans la vaine fumée des paroles. Ceux qui, piaffant dans des théories, nient dans l'imaginaire ce qui doit être détruit dans le réel, ceux qui ne tuent qu'en idées sont les seuls assassins. Haro sur les grimauds qui dissertent sur le concept d'homme quand des enfants connaissent le langage de la faim… Pour que l'homme naisse enfin, l'État et ses succédanés doivent périr. Je suis l'apôtre du rien, le moine de la révolution que seule la prière de l'action démange. Une société qui s'ébranle a besoin d'un précurseur qui tend des flammes de la terre à la lune, qui concentre en lui une haine pure, extra-humaine que nulle mollesse ne fléchit.

LE SPECTRE DE NETCHAÏEV (II)

Revoir ma naissance le 20 septembre 1847 à Ivanovo, gros village de boue déserté par Dieu, par le soleil et par l'esprit, c'est sentir mon corps vomir la vie grise et fangeuse qu'on lui a léguée et opposer à ce marécage la fidélité au geste de Karakozov. Entre les paysans et leurs terres, plus rien ne doit s'interposer, ni dîmes, annuités des rachats, ni knouts des maîtres et, comme il n'est de l'histoire qu'une science objective, la révolte des campagnes aurait dû retentir le 19 février 1870, le jour où, refusant de payer les arpents rachetés, ils devaient planter leurs fourches dans l'œil cyclopéen du tsarisme. La science historique ne fut en cause ni dans son exactitude, ni dans sa prévisibilité. C'est la réalité qui ne fut pas au rendez-vous. La loi fait tout même si les circonstances font le reste.

Depuis lors, une conviction m'anime plus que jamais : en plongeant le peuple dans un surcroît de souffrance, en faisant de son existence une géhenne toujours plus dure, il en viendra à s'insurger. Le devoir d'une avant-garde dotée d'une conscience politique éclairée est d'aggraver la dureté des conditions de vie des masses jusqu'à les leur rendre insupportables. Je suis l'homme des plans et des stratégies secrètes qui voit les couleurs et les rythmes de l'acte final alors que les acteurs en sont toujours au prologue. Je suis le levain qui fait se lever la pâte, je m'astreins à plonger mon bouillonnement d'énergie dans un corset de froideur, je piétinerai les fruits de nos vergers si tel est le prix pour donner naissance à des arbres de liberté. Les chicanes doctrinales, les prurits idéologiques qui confinent la Russie dans l'attentisme ont pour destin d'agoniser sur la première marche de mon Catéchisme du révolutionnaire *: « Le révolutionnaire est un homme condamné d'avance : il n'a ni intérêts propres, ni affaires personnelles, ni sentiments, ni attachements, ni propriété. Il n'a pas même de nom. Tout en lui est absorbé par un intérêt unique et exclusif, par une seule pensée : la révolution ». Le soleil de vase qui, chaque jour, se levait sur le bourg d'Ivanovo, transportant dans les esprits un peu de cette tourbe qu'il crachait en toutes saisons, ce soleil qui cachait l'autre vie, le troisième* *sexe, le troisième régime qui nous attendait, je l'ai nargué où que je fusse, à Moscou, à Zurich, à Lyon, sûr qu'en ce ciel sans dieu il se verrait chassé par un astre de lave noire.*

Venons-en au fait qui m'a valu l'opprobre des mouvements anarchistes, de Bakounine en personne et de certains apôtres du nihilisme. Je parle de l'assassinat de l'étudiant Ivanov, alors membre de mon organisation, la Vindicte du Peuple. Venons-en à ce 21 novembre 1869 où mes camarades et moi liquidâmes un traître, un mouchard dont le nom tout entier était contenu dans celui de mon village natal, preuve que celui-là était à l'image de celui-ci, une architecture de gadoue et de vent. Nous avons agi avec le jacobinisme russe et le blanquisme pour boussole : afin de sauver la chaîne de la rébellion, nous avons dû détruire un maillon coupable de trahison. Ni Ouspenski, ni Kouznetsov, ni Nicolaiev, ni Pryjov n'ont été contraints de m'obéir. En sus d'être nécessaire, ce meurtre avait pour lui d'être justifié de but en blanc, de face comme de profil ; assis sur des raisons objectives, il ne reposait sur aucune velléité personnelle et concourrait à la réussite de notre entreprise — seul critère devant lequel s'incliner. La mer rejette sur le rivage les éléments qui freinent le chant de ses vagues. C'est ce que nous avons fait. De toute apparence, la nature a moins de scrupules que les hommes à éliminer ce qui étrangle sa liberté. C'est la raison de mon cri « faisons-nous à son image ! ». Ivanov s'apprêtait à détruire tous nos efforts, à faire bégayer l'histoire. Une défaite à ce stade de notre lutte aurait hypothéqué notre victoire future. Le guet-apens dans un parc de Moscou avait pour objectif de supprimer celui qui mettait en péril la symphonie de la sédition. Si, en sus de nous heurter à la barrière de conditions politiques et sociales immatures, nous nous brisons de l'intérieur sur l'action d'un judas, c'en est fait de la libération populaire.

Je n'ai pas choisi la solution de la liquidation physique. La science en acte du processus révolutionnaire a choisi pour nous. Par-delà les râles d'Ivanov, par-delà l'eau vitreuse qui accueillit son cadavre, je vis les paysans exulter, serrant dans leurs mains des mottes de terre qu'ils portaient à leurs lèvres afin de les bénir. Une écharde en moins dans le pied de la Russie et voilà que celle-ci pouvait reprendre sa course au soleil. D'ici peu, je n'aurai même plus à abattre les portes qui obstruent les champs de la liberté ; elles viendront mourir à mes pieds, comme ces espèces animales en fin de règne qui savent qu'elles sont entrées dans l'heure de leur extinction. Cette prescience d'un cycle qui s'achève, d'une relève d'un groupe moribond par de nouvelles forces n'effleure guère l'empereur de toutes les Russie. Sous la pression de l'évolution, une variété humaine qui fut le fléau de la terre verra immanquablement sa lignée retourner au néant.

Aucun paysan ne dansera tant que le tsarisme vivra. Les déportations en Sibérie que le régime impérial s'est fait une gloire d'ordonner, l'arc-en-ciel des supplices qu'il a peaufiné des premiers Romanov à Alexandre II ne pourront faire que la Russie malade, estropiée, enchaînée ne passe en quelques années de la féodalité médiévale à la modernité. Il n'est nul besoin de Jésus pour rendre la marche à ceux que la misère a rendus infirmes. La mort de l'empereur suffira. Dans quelques heures, l'ère de l'absolutisme se refermera, coulant à tout jamais dans les cachots de la honte. Pour paraphraser Hegel, l'art de la tyrannie est sur le point de devenir une chose du passé, une vieillerie que l'on abandonnera aux mites de l'Histoire.

Ivanov rendu à la mort qu'il méritait, je me réfugiai à Saint-Pétersbourg avant de gagner l'Allemagne, avec, comme viatique, mes deux ouvrages de prédilection, les Confessions *de Rousseau et les* Authentiques Mémoires *de Robespierre. Tombant les uns après les autres, mes complices furent condamnés aux travaux forcés. Durant trois ans, semant la police du tsar, je propageai mon bréviaire révolutionnaire dans les villes d'Europe, rééditant, après la mort de Herzen, son journal* La Cloche, *enseignant ma haine mythique à des jeunes gens que les seuls jeux de mes regards pétrifiaient. De simplement scruter une rivière, je peux la vider de ses eaux et amener ses poissons à se réfugier en mes mains. De contempler une église, je peux faire pleurer ses saints, écraser l'autel sous l'abside et projeter la croix au fond du lac Baïkal. Voilà où se loge ma puissance. Mon énergie ne s'accommode guère des temps morts ; elle blêmit au milieu d'idéologues qui placent les concepts à la pointe du réel. Or, le problème de la France, de l'Allemagne, c'est de substituer une scène de théâtre aux barricades du monde, de lancer le mot « grenade » au visage des possédants et non la grenade elle-même. Mon instinct de survie ne pouvait que se ramollir au milieu des dentellières de la révolution que je côtoyais à Zurich, si bien qu'au terme de négligences qui me furent fatales je fus arrêté le 14 août 1872, un jour où le soleil et la lune, côte à côte dans le ciel, rejouaient les combats du chef des rebelles, Stenka Razine, et du tsar Alexis 1er, du meneur de révoltes, Pougatchev, et de la Grande Catherine. J'avais à peine vingt-cinq ans. Le despotisme avait plus de deux siècles.*

Mon sort ne m'importait que dans la mesure où, de lui, dépendait l'avenir de la Russie. Si le pouvoir impérial avait accordé un séjour d'une trentaine d'années sur cette terre aux chefs cosaques Pougatchev et Stenka Razine, ma personne serait logée à la même enseigne. Impuissant à bloquer le cours de l'histoire, il frappe ceux qui l'orientent vers la lumière. Le cheval de la révolution une fois lancé, il ne peut mettre à bas que ses cavaliers. « Le révolutionnaire est un homme condamné d'avance… » mais son échec est le terreau du grand soir, lequel soir abolira la division entre dieux et bêtes qui frappe les hommes. La succession des nombres n'entraîne aucune hiérarchie, aucune transcendance des uns par rapport aux autres. L'humanité s'achemine vers cette égalité sobre et sévère. Il n'est d'homme que là où il n'y a ni serfs ni princes. Une seule révélation secoue désormais les consciences trop longtemps abusées : Dieu et le tsar ne sont que l'invention la plus cruelle du diable. J'avais à peine vingt-cinq ans, le ciel ne touchait plus mon front, la police helvétique s'apprêtait à me livrer à l'ogre moscovite.

Avoir ramené mon action à un meurtre relevant du droit commun et non du politique, telle fut l'infamie suprême du procès qu'on m'intenta en 1873. Diaboliser Netchaïev en un Lacenaire sanguinaire, ternir mon nom pour des siècles et des siècles en l'amputant de tout engagement révolutionnaire, voilà quelle fut l'œuvre du tribunal de Moscou. On oublie qu'il y a du Netchaïev en chacun des gueux qui réclame que les fruits de la terre lui reviennent, en chaque braillement d'enfant tenaillé par la faim, en chaque arbre que l'on prive de soleil. Le simulacre d'exécution capitale auquel on me livra eut lieu sous un rideau de neige qui soustrayait l'échafaud à la vue des badauds.

Si je m'écartai avec rage du grotesque crucifix que le pope me tendait, je me détournai avec douleur d'une foule qui me couvrait d'invectives là où j'avais escompté une chaude approbation. Les flocons de neige russes ont comme singularité d'être tranchants au-dehors, doux au-dedans. Pour chasser mon dépit, je songeai que le comportement de la foule devait obéir à cette même dualité. Que mon nom soit exécré par ceux-là mêmes en faveur de qui je combattais, pour l'obtention de la liberté desquels j'étais tombé, m'annihilait. Désavoué par le peuple, je perdis pied. Je ne fus jamais déporté en Sibérie comme le prévoyait le verdict. Sur l'ordre du tsar, je fus enfermé dans la forteresse Pierre-et-Paul présentée dans les légendes comme un lieu où, à l'exception d'une grâce impériale, jamais n'en sort celui qui y est entré. Face au palais d'Hiver, au milieu d'une enceinte fortifiée dont dépasse, arrogante, la flèche dorée de la cathédrale Saint-Pierre-et-Saint-Paul, représentez-vous une bâtisse aveugle, entourée de douves, rongée par les cris des pierres, où ont séjourné les conjurés de décembre 1825 et Bakounine, où ont péri des insurgés anonymes, mais aussi Alexis, le fils de Pierre le Grand et la princesse Tarakanova qui, au grand dam de Catherine II, affirmait être la fille de l'impératrice Élisabeth. La lumière ne pénétrant jamais les casemates où les prisonniers se débattent contre le froid et le désespoir, il n'est comme ressource que d'épandre en soi ces lueurs qu'on nous refuse au-dehors.

Ulrike Meinhof, éditorialiste à *Konkret*, vers 1964.

LE SPECTRE DE NETCHAÏEV (III)

Les geôliers qui m'ont aidé à préparer mon évasion ont été durement châtiés. Depuis que le plan de fuite a été découvert, on tente de me faire mourir à petits feux. On immobilise mes membres à l'aide de chaînes trop lourdes pour que je puisse me tenir debout ; on abandonne mon corps à une faim qui, peu à peu, dérobe mes forces. Les membres de la Volonté du Peuple qui s'apprêtaient à me libérer ont tous été arrêtés après l'attentat qu'ils perpétrèrent sur la personne d'Alexandre II. J'avais préféré donner la priorité à l'élimination du tsar, faisant passer la cause du peuple avant ma vie. En ces jeunes populistes qui posaient la seule question urgente — la légitimité ou non du régicide — et y répondaient par l'affirmative, j'avais trouvé des émules qui appliquaient à la lettre mon Catéchisme du révolutionnaire. *Une seule divergence. Ils expiaient la vie ôtée par l'immolation de la leur, dans une logique sacrificielle qui sentait trop à mon goût la chrétienté. Le rachat par le martyre, pour ma part, je n'y ai jamais cru. Il n'y a pas à absoudre le crime par un suicide quand le crime est le père de la liberté.*

L'organisation n'a pas besoin des vocalises de ses morts mais de mains prêtes à couper les nœuds gordiens, les gorges aux collerettes d'or. Toutefois, la communauté de nos buts nous soudait, même si je désapprouvais leurs problèmes de conscience culminant dans l'esthétisation d'une double mort. La torture qu'ils infligeaient à leurs esprits, je les réservais à mes seuls ennemis. Leurs sempiternelles pesées de la justesse des moyens, des limites en lesquelles contenir le terrorisme, je les écrasais de ma morgue. Nous embarrasser de questions morales, c'est entériner la ruine de la révolution. Le duel implacable que nous menons contre l'État implique que l'on se déleste des valeurs qui sont les siennes si bien que la seule Vertu est celle de la Terreur rouge. Leur mystique piaculaire déplaisait à mon fanatisme. Malheur à l'action qui s'alourdit de sirupeuses ergoteries ; malheur au révolutionnaire qui, confessant ses doutes, fait passer l'intégrité de ses intentions avant le maniement des explosifs ! Les bouches tenaillées par la faim doivent dérober le pain qui fleurit dans la panse des puissants. Disserter sur la légitimité des morsures qu'elles infligent, c'est œuvrer à la victoire des exploiteurs.

Par les sentinelles acquises à ma cause, j'appris les tentatives d'attentat contre le tsar qui avaient échoué. Aucun des cinq coups de revolver déchargés par Soloviev en avril 1879 n'atteignit sa cible ; aucune des trois bombes posées entre la Crimée et Moscou par Hartmann et Chiriaiev ne fit sauter le train du tsar ; la malle de dynamite déposée au palais d'Hiver par Khaltourine décoiffa tout au plus les perruques et les postiches de la famille impériale. Le Comité exécutif de la Volonté du Peuple butait sur une réalité hostile. Alors que la fonction impériale n'avait déjà plus droit de cité, son représentant échappait miraculeusement aux balles, alimentant la désastreuse légende d'une protection par une grâce surnaturelle. L'histrion Alexandre II s'accrochait à un emblème vermoulu que les bottes des moujiks, les bruyères de la toundra, les ricanements des morts ne tarderaient pas à piétiner. Le sursis octroyé à cet infâme mortel fut de courte durée. La justice du peuple parla le 1er mars 1881 lorsque les bombes lancées par Ryssakov et Grinevitsky congédièrent Alexandre II hors de ce monde. Ignace Grinevitsky fut tué sur le coup. En dépit des protestations de Tolstoï et Soloviev, Nicolai Kibaltchitch, Timofei Mikhaïlov, Sophie Perovskaïa,

Nicolas Ryssakov et Andrei Jeliabov furent pendus. Vera Figner écopa de vingt ans de réclusion, Gessia Gelfman, enceinte, fut graciée par Alexandre III. Ce 1er mars 1881, je sentis pour la première fois la terre respirer, les fleuves courir dans la taïga, dans les bouches des serfs, comme si la création du monde advenait, maintenant que Dieu et le tsar n'étaient plus, maintenant que la main qui lance, la bombe qui aboie et la mort qui frappe s'étaient enfin donné rendez-vous. Le despotisme perdant la vie, la nôtre allait éclore.

Ceux qui ont cru que la révolution ne sécrétait que des flâneurs ont vu se lever ses émeutiers. Le ciel flottait au-dessus de nos têtes et guillotinait les nobles. Battue par les flots, la forteresse s'ouvrirait en deux comme s'était ouvert le corps d'Alexandre II. L'Histoire mourait sous les balles. L'autocratie me tenait sous ses verrous, mais par mon regard je la tenais en joue. La figure de l'acte révolutionnaire, c'est le cercle qui, déplaçant le centre partout, étrangle les héritiers du trône ; la musique de l'acte révolutionnaire est celle de la hache qui tranche la tête des heures fausses. Sur l'estrade des siècles, le peuple allait enfin poser le pied. La symétrie des actes et des consciences pourrait dès lors régner. Peut-être mon nom servirait-il de torche à ceux qui tailleront le monde à venir... Peut-être mon nom sera-t-il chuchoté comme une insulte... Je ne sais.

Moi qui, au moyen d'un code que personne ne pouvait percer, réussis à communiquer avec les deux détenus arrivés à la forteresse vers 1880, moi qui maniais le chiffre de Polybe mieux que ma langue maternelle, traduisant instantanément chaque lettre par les deux coordonnées chiffrées qui lui correspondent, j'ignore quel code pourra tromper la faim qui me tenaille. R : 4 2, E : 1 5, V : 5 1, O : 3 4... Polybe, donne-moi la combinaison qui calmera mon ventre et rendra à mes muscles la dureté de l'acier. Dressée sur l'île de la Neva, mollusque assis dans une implacable féodalité, la forteresse Pierre-et-Paul où je croupis depuis dix ans sera mon tombeau. Le scorbut et les rations alimentaires bonnes pour un moineau auront raison de moi. Le nouveau commandant de la forteresse est un vieillard sanglant rescapé de la guerre russo-turque, le général Ganetzsk. Le premier jour de son entrée en fonction, il a mis au point le plan de mon élimination. Le coup de grâce me viendra de la nouvelle torture qu'il m'inflige depuis juin 1882, avoir réduit de deux tiers ma ration journalière. Pourtant, je rêve parfois que mon organisme invente des lois de survie inédites et réagit par l'adoption d'un autre régime d'existence, à la manière de ces espèces qui, obligées d'évoluer sous le coup de cataclysmes, sont passées de la vie sur terre à la vie aquatique, ayant troqué leurs ailes contre des branchies. J'aurais aimé revoir un carré de ciel rougeoyant comme la révolution, sentir sur mes lèvres les cris de victoire poussés par le peuple. Dans mon nom, Serge Guennadievitch Netchaïev, je racle les forces qui quittent mon corps. Que mes frères n'enterrent pas ma hache lorsque je ne serai plus… telle est ma seule prière. Dans nos carcasses brisées par l'esclavage, nous portons le souffle de Robespierre. Bakounine, mort en 1876, vit à jamais dans les grenades de la révolte.

Dans chaque insurrection qui éclatera, je soulèverai les poings qui ramèneront les cieux sur la terre. J'aurais aimé entendre une armée de corbeaux précipiter à grands fracas le palais d'Hiver dans la Neva pour que du passé nous fussions quittes. Ma mémoire des dates me livre le jour où mon combat s'arrêtera. Le destin aimant à provoquer, c'est aujourd'hui que ma personne — non mes actes — glissera dans l'au-delà, ce 21 novembre 1882, treize années jour pour jour après la mort d'Ivanov. Si je quitte le monde aujourd'hui, c'est, fidèle à mon principe de symétrie, afin de poignarder Ivanov dans l'au-delà. Ma haine est intacte et me survivra ; mon trépas ne pourra guère l'entamer, pas plus qu'il ne réussira à assécher les affluents auxquels elle a donné vie.

Les Netchaïev de demain ôteront le bâillon fiché dans la bouche de la Russie, lequel bâillon a pour nom le régime des tsars. Ne me parlez pas d'Oblomov en cette heure où la révolution pose les deux pieds sur notre terre gorgée d'injustices. Parlez-moi des étendards rouges qui, composant un second ciel, s'apprêtent à faire tomber dans la préhistoire les Romanov qui sévissent depuis plus de deux siècles. Parlez-moi des paysans dont les rires ont la couleur du blé, des mille soleils dansant sur les lèvres des nouveaux-nés. Parlez-moi de la mer qui, roulant aux pieds des déshérités, panse leurs blessures séculaires. À bas la mort ! Vive la Russie libre ! La porte du siècle naissant où se dresse l'homme nouveau s'ouvre sur un carrousel de lumières qui rendent à l'action la vitesse de la foudre.

La Fraction Armée Rouge pose le primat de la pratique. S'il est juste d'organiser maintenant la résistance armée dépend de sa possibilité ; et c'est par la pratique que se décide si cela est possible [...] S'il est vrai que l'impérialisme est un tigre de papier, cela signifie qu'il peut être finalement vaincu [...] La guérilla urbaine est issue de la longue négation de la démocratie parlementaire par ses représentants eux-mêmes [...] La guérilla urbaine signifie ne pas se laisser démoraliser par la violence du système. La guérilla urbaine vise à détruire l'appareil de domination étatique en certains points, à le mettre à certains moments hors d'état de nuire, à anéantir le mythe de l'omniprésence du système et de son invulnérabilité [...] Certains disent que les possibilités politiques d'organisation, d'agitation, de propagande sont encore loin d'être épuisées et que, seulement lorsqu'elles le seront, pourra se poser la question des armes. Nous disons : il ne sera pas vraiment possible de profiter des possibilités politiques tant que la lutte armée n'apparaîtra pas clairement comme le but de la politisation [...] Vous êtes partie prenante de l'aggravation ou de la solution du problème. Entre les deux, il n'y a rien.

RAF, *Sur la conception de la guérilla urbaine*, 1er mai 1971.

FRANCHIR LA LIGNE

Prison de Cologne-Ossendorf, avril 1973.

Bambule, la pièce que j'ai écrite sur une révolte dans un foyer de jeunes filles de l'Assistance publique est désormais censurée. La retransmission prévue le 24 mai 1970 n'a jamais eu lieu. Je suis devenue hors-la-loi. Andreas, Gudrun, moi-même et quelques autres sommes mis au ban d'un État de non-droit. Nombreux furent les philosophes, les libérateurs ou les tyrans à être frappés d'ostracisme par les cités grecques. Condamnés à se tenir au-delà de l'espace des hommes, expulsés durant dix ans de la communauté, de ses devoirs comme de ses droits, les bannis de la Grèce mais aussi de Rome réintégraient le règne de la nature, devenant frères des animaux et des plantes. Soustraits au royaume des vivants, indésirables dans celui des morts, tenus à la lisière du monde visible et du monde invisible, les exilés formaient un fruit interdit de séjour dans les arbres de la loi. Les conservateurs, les despotes se voyaient proscrits autant que les innovateurs si bien que, sur les routes de la relégation, se côtoyaient le dictateur Pisistrate et le général Aristide dit le Juste, Xénophon, historien, chef militaire hostile à la démocratie et le philosophe ionien Anaxagore, le réformateur Marius et Épictète, l'affranchi devenu stoïcien, le général Coriolan trahissant son peuple et Ovide, le poète de l'amour. De nos jours, on n'inflige plus ce sort aux tyrans. Le privilège d'une chasse à l'homme, on ne le réserve qu'aux ennemis de l'État.

J'avais franchi la ligne en deçà de laquelle on ne revient. L'existence légale se tenait derrière moi, sans possibilité d'être regagnée par mer ou par ciel, par la mort ou par la vie. Derrière moi, mon mari Klaus, mes filles Bettina et Regine, derrière moi, la revue *Konkret* où je fus éditorialiste près de dix ans, derrière moi ma lettre ouverte à Farah Diba, la femme du shah d'Iran, mes articles dénonçant la guerre du Vietnam, la Grèce des colonels, la presse de Springer, Nixon, la clémence dont, en 1964, le tribunal fit preuve à l'égard du SS Karl Wolff. Derrière moi, la publication de ma revue *Argument*, mes textes dans *Panorama*, les protestations sans la lutte, les mobilisations qui ne dénouent rien, les pique-niques de l'esprit qui amusent le capital, les tracts, les manifestes qui laissent la dinde de Noël intacte, les volutes de hasch, les banderoles florales opposées aux bombes du Vietnam, la bouche prolixe sur fond de mains au repos, le rêve d'une libération en douceur. Derrière moi, le stoïcisme et sa devise « changer soi-même plutôt que la fortune », derrière moi le dialogue avec ceux qui vous massacrent, l'homéopathie conceptuelle avec ceux qui vous saignent à vif, derrière moi, la fleur bleue de la poésie plantée dans les stances de l'impérialisme. Devant moi, la réalisation du vœu de Frantz Fanon : l'insurrection des damnés de la terre, le visage du monde calligraphié à l'encre de Chine de la révolution.

Notre séjour de juin à août 1970 dans un camp palestinien en Jordanie, près d'Amman, fut un échec, je le reconnais. Les membres du Front Populaire de Libération de la Palestine dénoncèrent l'arrogance d'Andreas et ne lui pardonnèrent pas son refus de se soumettre aux entraînements. Je crois pourtant fermement à la rencontre des conditions objectives de la lutte dans le Tiers-Monde et de la configuration politique dans les métropoles de l'Ouest. Les détonations des Firebirds déchiraient le désert. Andreas avait fait tomber sous son charme Fusako Shigenobu, la fondatrice de l'Armée rouge japonaise, maîtresse de Georges Habache, au regard plus vif qu'un vol de flammes. Nous avons besoin de balles à longue portée pour tuer le passé, faire sauter de ses gonds la porte blindée du nazisme. Il n'est rien d'hésitant, ni de lourd dans la trajectoire des projectiles ; notre mouvement doit se faire à leur image. Une balle ne perd de sa hauteur que lorsqu'elle a rempli sa mission. Tout ce qui libère la vie suit la courbe d'une parabole. Or, on a beau lancer en l'air des poignées de mots, ils ne connaissent jamais cette beauté géométrique, cette rigueur épurée.

En Allemagne, les gouvernants s'auto-proclamant porte-paroles du peuple sont les artisans d'une terreur qui muselle les gouvernés. Usurpés sont les mandats car entre les masses et la vie politique, il n'est guère besoin d'intercesseurs. De même que Luther a prôné un accès direct du fidèle au texte biblique, ce congédiement de tout intermédiaire, cette récupération d'un rapport immédiat à l'espace public doit se faire en politique. Oui, Rudi Dutschke, avec toi je clame que la démocratie représentative est un leurre, que le système parlementaire doit être balayé par une République des Conseils. Nous n'avons pas à montrer aux peuples en lutte le cap à atteindre, la lune à parachuter sur la terre ; notre tâche est d'affaiblir l'ennemi, de mettre à nu ses visées, ses méthodes, de déchirer le tissu de la honte tout en laissant aux masses le choix du rapiéçage ou de la couture inédite. Le franc-tireur, l'éclaireur porte sa torche sur les plaies du système, mais, dans son faisceau de lumière, il ne bâtit pas la vie de demain. Sans doute, aurons-nous échoué si à notre cri « le roi est nu », la réponse de la société civile est de le rhabiller. Mais tel est le jeu du monde libre.

J'avais franchi la ligne en deçà de laquelle on ne revient. Mon premier article paru dans *Konkret* ? « La paix fait l'histoire ». Ma première arme chargée de faire advenir cette paix ? Un P 38. Sur un passage de l'Évangile de saint Jean, ma communion s'appuya ; sur Mao, ma seconde conversion s'édifia. Je passai du verset johannique « dans ce monde vous connaîtrez l'affliction, mais gardez courage ; j'ai triomphé du monde » au verset maoïste « entre l'ennemi et nous, il nous faut tracer une ligne de démarcation bien nette ». Dès la Jordanie, il m'apparut qu'Andreas confondait être et jouer, les rebelles Tupamaros avec Bonnie and Clyde. La synchronisation des attaques de banques, c'est ce dont il raffole, mais il dédaigne la synchronisation des consciences à l'intérieur du groupe et au-dehors. Prendre l'argent là où il est, dans le ventre des banques comme le martèle Horst Mahler. Rien de bien nouveau dans cette tactique d'expropriation à laquelle les anarchistes ont toujours eu recours, de Max Hölz à la bande à Jules Bonnot. Braquer une banque n'est pas braquer l'État mais se donner un moyen de le prendre d'assaut... Eric Grusdat, Karl Heinz Ruhland semblent l'oublier... Je m'en prends à Horst qui soutient que les trois hold-up commis le 29 septembre 1970 eurent une portée politique en eux-mêmes alors qu'ils ne furent à mes yeux que des expédients latéraux. Où Andreas et Horst pensent combattre, je ne vois qu'une échelle pédagogique. Ils distendent à ce point le concept de politique que, pour eux, tout le devient, lire, faire l'amour, manger... Moi, je ne veux ni situer la révolution partout ni en faire un Dieu.

Musique allant du pianissimo vers le forte, de l'adagio au presto, la révolution est un soulèvement général du tissu social à partir des premières mesures qui donnent le coup d'envoi. La musique procède par exaspérations des conflits et résolutions des tensions. Tel est aussi le mouvement de la lutte armée qui, accentuant les dissonances, entend les lisser dans un processus de libération. Les militants qui ne prêtent attention qu'aux coups de timbale n'ont pas l'oreille révolutionnaire. Une insurrection, ça se construit, ça se module. Notre devoir est de contenir l'élan de ceux qui, ne recherchant que des effets de style, ne tiennent guère compte de la retombée de la dominante à la tonique, de l'échauffourée dans la torpeur. Pour la plupart de mes camarades, la lutte armée relève du mouvement perpétuel, si bien qu'ils immergent Che Guevara et Mao dans ce rondo fébrile de Weber connu sous le nom de *Perpetuum mobile*. Je sais trop bien qu'une spirale infinie peut faire le jeu de l'ennemi, qu'on peut en changer la direction comme la lumière. C'est pourquoi j'accouple les couleurs du dynamisme à la non-couleur du repos. Il ne s'agit pas simplement de faire ce qu'on dit, de n'être jamais dans les actes en deçà de la pensée, mais aussi de défaire les automatismes qui défigurent nos actes en gesticulations. Qui marche sur la tête ne défie pas le ciel. Qui joue à Ravachol peut se retrouver Caligula.

En juillet 1971, nous avons connu notre premier mort, Petra Schelm, descendue par la police au cours d'une fusillade. Andreas affirme : la concordance de nos prévisions et des faits est totale ; perdant son masque démocratique, l'Allemagne affiche son faciès fasciste. Je rétorque : pour que la réalité nous donne raison, fallait-il perdre un des nôtres ? Voilà l'inacceptable. Le sourire d'Andreas se promène sur son visage plus vite que les balles ; son sourire comme son charme sont illimités. Il ne veut pas convaincre, il veut fasciner, entrer dans les chairs, soulever les lèvres des femmes, prendre les mots des autres de vitesse en cambriolant leurs rêves d'enfance, en volant des Porsche. Andreas est illisible, ses yeux sont de nuit, mais son visage diurne, voilà pourquoi il envoûte. En cavale, son esprit l'est depuis toujours, calmant sa turbulence par des courses au finish dans des voitures de luxe, délivrant de l'enclos du temps son sourire nomade, ses yeux de tempête. La Porsche 911 Targa, le pistolet-mitrailleur MP5, il n'a pas d'autres armoiries.

Sous son profil Bonnie and Clyde, l'héraldique de Baader ne sera jamais une science exacte, même si, depuis son séjour dans l'appartement de Régis Debray à Paris, il applique à toutes les situations de la guérilla le théorème d'incomplétude d'un certain Gödel que Debray a parachuté en politique. Ce matin encore, il a lancé son lasso favori à nos têtes ensommeillées, rêvant de bâtir le triangle Gödel-Debray-Baader qui, par le gambit de la reine, mettrait la logique capitaliste échec et mat. À Andreas, je hurle « Que Gödel aille au diable. L'incomplétude n'est pas logique, elle est existentielle. Ce sont les énoncés ni vrais ni faux qui nous font mourir, c'est la main du fascisme qui a tué Petra Schelm, c'est la mort qui rend la vie inconsistante. Andreas, nous sommes partout et nulle part, nous nous tenons à la frange de la nation allemande, dans l'ornière où nous la ferons tomber, nous grattons dans la nuit les fenêtres damnées de nos pères. Dans le désert des mots, nous ferons pousser les palmiers de la révolution ». Andreas soupèse son pistolet avant de le coincer dans son jeans. De son irrésistible sourire, il harponne Gudrun. L'empoignant par les cheveux, il plaque les lèvres de son amante contre la crosse de l'arme.

Jeudi 11 mai 1972 — le jour même du début du bombardement systématique du Nord-Vietnam par les impérialistes américains, le Commando Petra Schelm a fait sauter, avec une charge de 80 kg de T.N.T., le Quartier général du 5e corps d'armée des Forces d'occupation américaine en Allemagne, basé à Francfort. L'Allemagne de l'Ouest et Berlin–Ouest ne doivent plus servir de pays de repli assuré pour les stratèges de l'extermination. Ils doivent désormais savoir que leurs crimes contre le peuple vietnamien leur ont créé de nouveaux ennemis qui s'acharneront à les combattre, qu'il n'y a plus de place dans le monde où ils puissent être en sécurité devant les attaques des unités de guérilla révolutionnaire.

Nous exigeons l'arrêt immédiat du pilonnage systématique du Nord-Vietnam.

Nous exigeons que cessent les bombardements sur le Nord-Vietnam. Nous exigeons le retrait de toutes les troupes américaines de l'Indochine.

RAF, Commando Petra Schelm, Déclaration du 14 mai 1972, À propos de l'attaque du Q.G. de l'armée américaine à Francfort.

205 KG DE T.N.T.

Prison de Cologne-Ossendorf, mai 1973.

J'ai mal à la mémoire de l'Allemagne. Puisque la liberté est un absolu, en chaque acte, la responsabilité est entière, radicale, hors fractions, hors degrés. Se positionner par rapport au nazisme, par rapport à la guerre du Vietnam... il n'y a pas de différence. Il n'y a jamais eu, d'un côté, le cours historique qui creuse son chemin et, de l'autre, les hommes accrochés malgré eux à ses flancs. Entre l'aboiement et le chien, il n'y aura jamais plus de muselière. Rien ne se tient au-dehors de la vie et tant pis pour les acteurs qui attendent le bateau qui les fera accoster aux ports de l'Histoire. L'index qui s'écarte du pouce signe la mort de la main. D'avoir mythifié la Grèce, d'avoir trop cru à l'Esprit, l'Allemagne a succombé au culte des corps acéphales. S'endormant dans le giron d'Hitler, elle ne s'est réveillée un instant que pour s'abriter dans le giron américain.

J'ai mal à la mémoire de l'Allemagne. Depuis ma naissance, je crie en bouquets noirs. Mes souvenirs se perdent dans des champs de fouilles saturés de mines. Dans une foule qui acclame les GI's, je cherche le visage de Hölderlin, lui qui pétrit le poème entre ciel et terre et qui, figurant au nombre de mes ancêtres, survit peut-être en peu en ma bouche. Moi qui n'ai jamais aimé les chiffres, je compte les morts, nos morts descendus par les flics, Petra Schelm tuée le 15 juillet 1971 à Hambourg, Georges von Rauch abattu le 4 décembre 1971 à Berlin-Ouest, Thomas Weisbecker le 2 mars 1972 à Augsbourg, je compte nos membres emprisonnés, les grandes tapisseries de bombes qui noient le Vietnam — 25.000 bombardements en 1965, 79.000 en 1966, 108.000 en 1967, sans oublier la demande d'utiliser des bombes nucléaires formulée par le Pentagone en 1968 —, je compte les typhons de napalm qui nettoient le monde du communisme, je compte les jours où la pluie des morts me gifle le visage.

Certains opéras n'ont pas d'actes fixés à l'avance. C'est le cas de ceux qui concourent à la révolution. Le premier acte de notre partition retentit le 11 mai 1972, lorsque nous faisons exploser trois bombes au quartier général de l'armée d'occupation américaine basé à Francfort. Nos commandos portent les noms des camarades descendus ou interceptés par la police.

En guise d'ouverture aux représailles, la RAF a dépêché le commando Petra Schelm afin d'engager une lutte à mort avec l'État. La dialectique du maître et de l'esclave, c'est maintenant. Le jour même où l'Amérique lance un déluge de bombes sur le Vietnam, nous faisons éclater 80 kg de T.N.T. dans les gencives de l'armée. Les incendies de magasins auxquels, en avril 1968, Andreas, Gudrun, Thoward Proll et Horst Söhnlein s'étaient livrés en signe de protestation n'étaient qu'un prélude. Là où les consciences politiques somnolent, seuls les détonateurs les forceront à prendre position. L'écriture des bombes a pour elle la vitesse ; l'inactivité leur étant fatale, les actes doivent s'enchaîner plus vite que les films de Fassbinder. L'odyssée de la guérilla ayant le souffle d'Homère, nous appliquons aux bombes la technique des hexamètres dactyliques. Le deuxième acte s'enchaîne au premier à un jour d'intervalle. Le 12 mai, trois bombes font voler en éclats des locaux de la police d'Augsbourg ainsi que 300 véhicules de flics à Munich — le commando Thomas Weisbecker de la RAF a frappé. Le temps est pris de court, c'est tous les jours le 11 mai, c'est la valse qui verse du sang pour que ne saigne jamais plus le Vietnam du Nord, c'est la sève printanière des peuples qui fait taire l'hiver des oppresseurs. Le 15 mai, à Karlsruhe, la voiture du juge Buddenberg chargé de l'instruction contre des membres de notre mouvement se déchiquette en une danse de pétales au cours de laquelle la femme du juge est grièvement blessée... Le commando Manfred Grashof de la RAF a parlé mais, déviées de leurs objectifs, nos actions s'entachent...

Le 19 mai s'ouvre sur un nouveau dérapage. Les deux bombes ravageant la maison d'édition Springer à Hambourg touchent des ouvriers, l'évacuation demandée par le commando 2 juin n'ayant pas eu lieu. Si on affaiblit l'ennemi, c'est pourtant pour que la vie éclose au bout des fusils. Le 24 mai 1972, la cible est limpide. L'ordinateur à partir duquel nombre d'offensives américaines sont menées au Vietnam doit être détruit ; deux bombes défoncent les bâtiments de l'Armée US à Heidelberg, 125 kg de coke, 125 kg de rage et d'espoir se lançant dans un carnaval de déflagrations qui réduit tout en poussière, apposant au bas de ce cinquième acte la signature du commando 15 juillet. Nos dates sont circulaires, voilà pourquoi nous gagnerons. Tous les Viêt-côngs morts que vous confinez hors champ, en voix-off, grimperont dans notre partition. Afin de rendre muet votre cinéma de yankees impérialistes, en biais des marteaux de votre piano militaire, nous poserons nos milliers de faucilles. Vous ne vivez que de donner la mort, voilà pourquoi nous gagnerons. 80 kg de T.N.T. le jeudi 11 mai, 125 kg le mercredi 24 mai. En tout, 205 kg de trinitrotoluène, 205 kg d'un mot imprononçable pour que l'Amérique ne prononce plus nos vies à nos places, la vie des Viêt-côngs à la leur... Nul ne peut épeler ce nom de sept syllabes que nous déposons au cœur de votre appareil policier.

Qui veut regarder le nazisme en face, embrocher son palimpseste barbare qui étouffe le présent doit en passer par le langage des explosifs. Méfiez-vous des poseurs de T.N.T., méfiez-vous du tigre communiste. Le 17e parallèle nord séparant les deux Vietnam s'apprête à bondir à la gorge de ses agresseurs.

Le 24 mai, au matin, Andreas, nerveux, inspecte une dernière fois les caisses. La nuit lui a volé son sourire. Traversant les siècles, incendiant ce qu'ils croisent, ses yeux s'emportent très loin de l'Allemagne. Il court trop vite dans les plis de la vie pour n'en pas sortir avant l'heure. Ses gestes ont plus de précision que son esprit, c'est ce que je lui reproche. Son père, disparu sur le front russe en 1945, était historien et archiviste de l'État de la Bavière. À la conservation des traces du passé, le fils oppose le dynamitage de l'Histoire, sa déconstruction explosive. Il vole d'une femme à l'autre, trafique les voitures afin de faire dérailler le train de la bourgeoisie, recherche la sensation pour elle-même, l'accélération de la vie, le grand jeu de l'action. Ses mains s'agitent autour des caisses, ses lèvres demeurent coites. Il recense les gaines de métal qui protègent les bombes, craint un faux raccord, un aléa, un défaut de fabrication artisanale, envisage tout ce qui pourrait compromettre l'action. Soudain, il rompt son silence et nous confie son discours de la méthode des bombes.

La chimie des explosifs, c'est comme la cuisine. Tout repose sur le dosage des ingrédients de base sans lequel le ragoût tourne au désastre. Avec 25 % d'aluminium et 75 % d'oxyde ferrique, d'oxyde féerique, on a le summum du cocktail… Surtout éviter les improvisations culinaires, les rajouts d'épices *in extremis,* répète Andreas, qui se lance dans une nomenclature des explosifs. Les déclenchements piégés, à retardement ou contrôlés, le phosphore blanc qui émet une lumière visible dans l'obscurité et dégage une légère odeur d'ail, les poudres conçues pour un régime de déflagration qui, soumises à un autre traitement, peuvent détoner, les systèmes mécaniques ou électriques de mise à feu, la vitesse de combustion du nitrate d'ammonium, Andreas passe tout en revue. Je ne vois plus que ses mains qui virevoltent sans se poser nulle part, des mains qui, dans une vie antérieure, ont dû être oiseaux. J'ai compris ce jour-là que toute mise en cage signerait leur mort. Il suspecte tout, d'abord les éléments pris isolément — les écrous, les détonateurs, les systèmes d'horlogerie, les batteries de

50 volts, les charges explosives —, puis les raccords entre eux. Et si le temps s'enchaînait tout autrement ? Si la réalité déjouait toutes les prévisions ? Si rien ne se pliait à la logique des bombes ? Tout étant sexuel à ses yeux, il redoute que certaines bombes viennent à souffrir d'éjaculation précoce ou d'impuissance. Plus Andreas chute dans la peur, plus il crâne. Il oublie que si les portes de la révolution sont parfois étroites, elles donnent sur le grand soir sans limites. Il oublie que, si nous sommes prêts, le réel le sera puisque le monde tourne autour de la conscience.

L'artisanat des bombes m'irrite. Le chef d'œuvre de la révolution ne poussera pas sur les terres de la chimie. Le seul détonateur qui puisse mettre le monde à feu, c'est l'esprit. De la bouche d'Andreas, j'appris ce 24 mai que les canons de fusils possédaient une âme, laquelle pouvait être lisse de surcroît, que les cartouches d'un Browning ne convenaient pas à un parabellum, les munitions s'accordant en genre et en nombre avec leurs armes. Gare à celui qui, oublieux de la grammaire, conjugue le calibre 11 mm du 44 Magnum au 38 Spécial friand du calibre 9 mm... Je laisse à Andreas son vœu d'être le chef coq de la haute gastronomie plastique, je l'abandonne à ses délires de fin gourmet qui me rendent anorexique. Le seul détonateur qui puisse mettre le monde à feu, c'est l'esprit.

FÜR HANOÏ

Prison de Cologne-Ossendorf, mai 1973.

Dans une des maisons voisines, un violon aborde timidement le concerto de Brahms, sans mener les sons à leur maturité. Sous ce ballet hésitant où il n'est de note qui ne trébuche, je revois le violon qui m'a accompagnée durant ma jeunesse. Peut-être Gudrun sent-elle aussi l'instrument remonter de son enfance ? De même que la révolution se construit, un son se sculpte dans l'évidement du bruit du monde. Le regard d'Andreas baigne dans une lueur de triomphe. Exultant, il poursuit son nouveau discours de la méthode, basé sur une absence de règles et sur l'intuition du résultat, bref, son anti-méthode où le seul désir de la graine donne l'arbre. La victoire est acquise avant d'entamer la bataille, tous les stratèges chinois l'ont compris ; l'adversaire doit, au préalable, être psychologiquement défait de façon à ce qu'une fois la guerre engagée, l'on retourne son capital de forces à notre avantage. Cette fabuleuse aptitude au bonheur que possède Andreas est l'étincelle dont a besoin la *Rote Armee Fraktion*. Il a cette joie sans bords qui m'est étrangère, une connivence spontanée avec la lumière qui lui permet de tailler le jour comme un vitrail. Larguant les amarres, le 24 mai fonce à toute allure vers son but ; le couloir des minutes rattrape celui des heures dans un mouvement de convergence braqué vers 18h10. Les joues du Vietnam portent trace de leurs bourreaux. *U. S., go home !*

Andreas chantonne comme on court, en allant plus vite que la mélodie. Le violon qui continue à effleurer Brahms reste en deçà de la musique, Andreas passe au-delà, si bien que l'un et l'autre ratent la ligne harmonique. Le fondu enchaîné des actes est lisse, sans aspérités. Holger Meins nous rejoint ; Gudrun et Andreas font l'amour, défont le temps. Les bombes attendent ; les Viêt-côngs comptent sur nous. À l'heure prévue, la jeune X vient chercher une des caisses. Elle échange quelques coups d'œil ardents avec Andreas, s'énerve de mes conseils. L'opération est entre ses mains. À plusieurs occasions, j'ai trouvé qu'elle pensait à l'envers, dans le plus grand désordre. Pourra-t-elle agir à l'endroit ? Une conscience embuée permet-elle des gestes clairs et distincts ? Elle croit me tranquilliser en me dépeignant les voix qu'elle a entendues en rêve et qui l'assuraient de la réussite de l'action. Je lui rétorque que le potentiel révolutionnaire de Jeanne d'Arc avoisine celui des papes et que celles qui font confiance aux voix ne peuvent nous être utiles puisqu'elles finissent sur le bûcher. X, qui a l'insouciance des vrais martyrs, se plaît à s'imaginer la proie des flammes. Les prunelles d'Andreas, c'est déjà l'incendie. Sur ses joues de neige, je dépose, côte à côte, un baiser et mes craintes.

Gris et ternes, les baraquements de l'Armée américaine font d'Heidelberg la plate-forme de l'impérialisme, la base de lancement de la guerre au Vietnam. De cette ville où naquit Ernst Jünger, se planifient le massacre des populations civiles d'Hanoï et des campagnes, l'exfoliation de la jungle et des hommes. Munie d'une plaque d'immatriculation USA EUR qu'Andreas a volée, la voiture conduite par X franchit le poste de contrôle sans encombres. Slalomant au milieu des blocs qui concoctent la mort à grande échelle, elle se faufile dans les rires insouciants des soldats. Leurs rires tombent avec force sur le bitume comme tombent les bombes dans les rizières. X imagine les cieux d'Heidelberg défoncer le soleil rose du Vietnam. Elle range son véhicule auprès d'une Ford Capri d'un jaune éclatant, se dirige vers le bloc 28 où se concentre le réseau informatique programmant la mort à distance.

Au meurtre téléguidé, la guérilla oppose le combat dans la proximité. Nous ouvrons le dossier de la mort à l'endroit où ses aficionados l'ont laissé : sur la cicatrice du 17e parallèle au nord duquel une orgie de bombes déferle. Dans une voiture postée devant le bloc 28, X dépose un second colis qui, peut-être, changera la face du monde, un œuf qui ne donnera la vie qu'après avoir semé la destruction. La révolution c'est l'œil à la pointe du présent, la main qui dilate l'horizon jusqu'à toucher la symphonie du nouveau monde. On a tort de dire qu'elle est à l'heure, c'est elle qui donne l'heure au temps. Le bal de la mort que l'Amérique promène sur le monde est sur le point de connaître deux curieux invités, pour le moment encore silencieux, toujours cachés à l'intérieur de véhicules insoupçonnables.

Quittant l'enceinte de l'armée américaine, X presse le pas mais garde intact le rythme de la révolution. Il n'y a pas de grands événements qui décident du visage du monde, il n'y a que des conquêtes grignotant l'échiquier de l'oppression et de la misère. À 18h10 précises, une détonation balaie les rires des officiers, laissant place à un grondement en spirales. De la voiture abandonnée par X et de la Ford Capri, il ne reste plus qu'un carnaval de pétales en suspension dans l'air, un chaos de couleurs fondues et de formes calcinées. Le ciel semble avoir reculé loin dans les hauteurs comme pour n'être pas éclaboussé par l'explosion. À quinze secondes d'intervalle, le véhicule placé devant le bloc 28 se fractionne en des myriades de particules, comme sous le choc d'une fission nucléaire. Trois soldats sont tués sur le champ, le colonel Clyde Bonner, Ronald Woodward et Charles Peck. Le camp titube, pris dans le mouvement désordonné des bombes dont les yeux se fichent dans la pierre, dans la tôle, dans les chairs. Les molécules de la guerre sont réduites au silence, les nerfs de l'ennemi ébranlés.

Pour que les fleurs poussent au bout des fusils, il faut maintenir les canons sur les nuques des dictateurs. Pour que cesse la guerre au Vietnam, il faut frapper le ventre de la bête qui la commande. X n'a rien vu mais elle écoute le monde changer de peau. Aujourd'hui, les rives du Neckar ont rejoint le delta du Sông Hông. Aujourd'hui, nous rendons hommage à Petra Schelm. 18h20, le bruit des sirènes supplante celui des bombes, l'ordinateur éventré ne dépêche plus aucun ordre. 18h30, une pensée frappe les tempes de X : le contraire d'un explosif, c'est le *statu quo* de la lâcheté. 19 heures, sur le pied de guerre, les bureaux de la police criminelle, le BKA, rassemblent les fiches secrètes, les empreintes digitales, les photographies des citoyens suspects de sympathie avec le communisme et s'échinent à dresser la liste des hors-la-loi qui violent le ronronnement démocratique de la RFA.

23 heures, on a resserré dans un chapelet de dix-neuf noms, de dix-neufs visages les hommes et les femmes les plus recherchés. *Ulrike Meinhof, Andreas Baader, Gudrun Ensslin, Holger Meins, Jan-Carl Raspe, Ilse Stachowiack, Klaus Jünschke, Ronald Augustin, Bernhard Braun, Ralf Reinders, Ingeborg Barz, Irmgard Möller, Brigitte Mohnhaupt, Axel Achterath, Katarina Hammerschmidt, Rosemarie Keser, Siefried Hausner, Heinz Brockmann, Albert Fichter.*

Aujourd'hui, je revois l'attaque de banque du 29 septembre 1970 que M.G., A.J., moi-même et toi, Petra, commîmes à Berlin alors que des camarades pillaient deux autres banques. Aujourd'hui, nous te rendons hommage, Petra. Chacune de nos armes fournies par le Fatah hurle ton nom. Vous ne nous avez laissé d'autre choix que le recours aux armes.

L'armée de l'air américaine a déversé ces sept dernières semaines plus de bombes sur le Vietnam qu'il n'en a été lancé sur le Japon et sur l'Allemagne réunis pendant la Seconde Guerre mondiale. C'est en plusieurs millions de tonnes d'explosifs que se compte le discours que veut imposer le Pentagone pour stopper l'offensive du Nord-Vietnam. C'est un pur et simple génocide, l'extermination de tout un peuple, — la « solution définitive » pour le peuple vietnamien. Si les citoyens allemands ne veulent pas soutenir les poursuites engagées par les forces de sécurité contre les commandos, c'est parce qu'ils ne veulent rien avoir à faire avec les crimes de l'impérialisme américain et l'assentiment que leur donne la classe dominante ; c'est parce qu'ils n'ont pas oublié Auschwitz, Dresde, Hambourg ; c'est parce qu'il y aura une justice contre ces exterminateurs au Vietnam ; et parce qu'ils ont fait l'expérience que les manifestations et les protestations contre le crime innommable de l'impérialisme n'ont servi à rien.

Nous exigeons que cessent les bombardements sur le Vietnam.

Nous exigeons l'arrêt du minage systématique du Nord-Vietnam.

Nous exigeons le retrait des troupes américaines de l'Indochine.

(RAF, Commando du 15 juillet, Déclaration du 25 mai 1972, À propos de l'attaque du Q.G. de l'armée américaine à Heidelberg.)

Ulrike Meinhof. Photo : Ullstein.

L'ŒIL NATIONAL-SOCIALISTE

Prison de Cologne-Ossendorf, juin 1973.

La République Fédérale d'Allemagne a la mort aux dents. Dans tout le pays, elle déploie des barrages, opère des contrôles, encerclent les vies de barbelés, de murs de menaces. La panique gagne le système qui croit encore à son invincibilité. Le BKA a beau compulser ses manuels de la guerre, il ne fait main basse sur aucune de nos tactiques de lutte. Étudierait-il le manifeste de Carlos Marighela, le *Manuel du guérillero urbain*, il poserait en arrière de nos actions le décor d'une guerre de Troie où l'héroïsme répond à l'héroïsme alors que, de nos jours, seule la guérilla peut défaire la brutalité faite règne. Notre force réside dans la visibilité spectaculaire de nos attentats et dans l'invisibilité de notre organisation. Nous ne camouflons guère nos intentions. Combattant sur votre terrain, mobiles dans nos moyens, statiques en nos visées, nous anéantissons vos entreprises de destruction. C'est du local au global que nous procédons, sans soumettre les parties à l'autorité du tout. Si vous désarmez une de nos branches, l'arbre entier fleurira. Nous deviendrons l'obsession qui occupera le champ — pourtant bien étroit — de votre conscience. Nous deviendrons le cri de l'oiseau qui, en son vol, fera éclater vos têtes. Ne vous fiez pas à l'ordonnancement des astres. La cosmologie de la révolution donnera la parole aux comètes noires, aux lunes rouges qui, pour exister, n'ont guère besoin d'un nouveau Copernic. Plus qu'un emblème, l'éclair est le pont qui nous relie aux peuples du Tiers-Monde.

La géographie de la révolution ne connaît pas de frontières, les terres qu'elle défriche virent au bleu du ciel, les paroles qu'elle sème mûrissent en grappes d'œillets et dans les rivières qu'elle libère se noient les épines de pierre. Vos vieux traités militaires nazis se heurtent à notre énergie aux formes imprévisibles. Être, pour vous, c'est anticiper, resserrer l'ennemi dans un réseau de mailles de plus en plus fines, caresser de la main gauche du présent la main droite du nazisme, respirer narine gauche démocratie, narine droite totalitarisme, voir par l'œil gauche du miracle capitaliste, contre-voir par l'œil droit national-socialiste. Vous avez mangé tous les fruits, mais votre estomac crie famine. Vos pieds sont gourds sans les bottes du crime. Vos lèvres tremblent d'émotion lorsque le refrain de 1940 y tambourine. 100.000 *Deutsche Mark* de récompense pour qui mettra la police sur la piste des auteurs des attentats... 1.000.000 DM de dégâts au quartier général américain de Francfort, 340.000 DM de dommages aux éditions Springer, 130.943 DM de dégâts à Heidelberg... C'est fou comme l'Allemagne aime les chiffres de lèse-patrimoine, mais abhorre de compter les morts du Vietnam. Certains peintres explorent une palette de noirs pour obtenir un blanc sans précédent. Voilà ce à quoi vous nous avez acculés, nous forçant au détour par l'obscur pour assurer l'entrée dans la clarté. Nous plaçons la violence entre deux paix là où vous encadrez la paix par une guerre initiale et une guerre finale. Perdants, bredouilles, vous l'êtes *a priori* puisque tout prédateur dépend de ses proies. Défaillants, vous ne reculez pas devant la lâcheté et ne comptez plus que sur la délation, cette vieille manie allemande. L'Allemagne de l'Ouest et Berlin-Ouest ne doivent plus servir de pays de repli assuré pour les stratèges de l'extermination. Aie le courage de combattre et la force de vaincre. *Habt Mut zu kämpfen habt Mut zu Siegen.*

Sous-estimant la rage des dénonciations, nous n'avons pas vu le coup venir. Toujours portés par nos succès de mai, nous n'avons pas prédit la volte-face du 1er juin. Du futur proche, l'offensive de mai était le porte-parole de sorte que nous ne pouvions trébucher sur aucun détail. Le 1er juin, j'ai compris que le coup dur qui nous frappait nous obligerait à modifier nos positions. Le danger n'était pas seulement à nos portes mais dans nos corps amputés de trois de leurs frères. Le garage du Hofeckweg à Francfort, ce fut notre talon d'Achille, notre débâcle, ce furent les menottes sur les langues qui parlent révolution, nos bouches que l'on referme comme des tombes... Que Starbuck — nom de code d'Holger Meins — ait parfois contenu la fougue d'Andreas si proche de celle du capitaine Achab n'a servi à rien. Le 1er juin 1972, très éloignée de la Moby Dick de Melville qui m'a toujours émue, la baleine blanche policière a immobilisé en ses fanons Andreas Baader, Holger Meins et Jan-Carl Raspe. Près de deux cents cinquante tireurs embusqués encerclaient le garage tandis que la télévision transmettait le siège en direct. L'État aurait préféré cueillir des fruits morts, mais Andreas n'est que blessé à la cuisse. Ce jour-là, le temps s'est emballé, a joué contre nos forces. À moyen terme, nous pourrons grimper sur le dos de l'Histoire, mais, à court terme, nous avons échoué à sauter sur les épaules du présent. Quand le système aura le corps transpercé de toutes parts, il ne sera plus à même de panser ses plaies. Pour l'heure, le garage du Hofeckweg ne délivre qu'un sens, celui d'une souricière. En droit, la révolution change tout obstacle en allié ; dans les faits, il lui arrive d'oublier que le poing qu'elle dresse vers le ciel s'enfonce dans le sable.

Un ras de marée d'argile reflue dans ma bouche, mes gestes divorcent de mes pensées, mon « je » qui ne se conjugue qu'au *« nous »* tremble sur ses bases. Il n'y a d'Ulrike qu'au pluriel, avec Andreas, Holger et Jan-Carl, avec les cris des Viêt-côngs, il n'y a d'Ulrike qu'au bout de la grammaire de la guérilla, là où la concordance de nos actes et des conditions objectives du changement sera totale. L'Allemagne n'est plus que ce cauchemar qu'elle était à ma naissance ; l'Allemagne, ce sont les crocs des dobermans plantés dans les poèmes de Heine, les V2 bombardant des chevelures obsidienne. Le calendrier est une toupie qui travaille à nous écraser. La presse qui, contre nous se déchaîne, diabolise nos actions. Alors que le pire est là, au cœur de leurs vies, la peur gagne des millions de foyers à qui on nous a présentés comme de faux chevaliers du peuple. Notre cause doit-elle modifier ses bases si l'opinion publique ratifie la guerre menée contre nous ?

Le temps s'avance comme une plaque de givre où tout dérape. Tandis que la conscience des masses choisit de se confier au gel, les trous dans la glace se forment sous nos pieds. Gudrun tombe une semaine après Andreas, Holger et Jan-Carl. Dans une boutique de Hambourg où elle essaie des pulls, les flics lui enfilent les menottes. Gudrun, pâle au dehors, bariolée au dedans, laisse dormir ses deux revolvers. Elle a le génie du silence. Voyageant de la chair au marbre, elle peut se faire aussi dense qu'une pierre. De son père pasteur, elle a hérité cette religion de l'absolu, cette ferveur idéaliste qu'aucune conquête partielle ne saurait combler. Du réel à l'idée, la distance demeure infranchissable puisque, à ses yeux, la seconde doit moins descendre dans le premier que le premier monter jusqu'à la seconde.

D'Antigone, elle a cette énergie droite qu'aucune loi extérieure, aucun décret étatique ne peut dompter, comme un bloc d'enfance roulant sur l'injustice des adultes, têtu, presque animal. Ses paroles filent et défoncent les crânes. Dans sa cicatrice au ras du sourcil droit se profile un oiseau prêt à s'envoler ; dans ses yeux se promènent les rires-oasis d'Andreas. Une conviction l'a frappée de bonne heure : on ne noie pas le capital dans l'eau des bénitiers. Depuis, son silence théologique est devenu un silence dissident, un silence mutin, un silence mythologique. Je ne veux plus entendre l'hélicoptère qui l'emmène à Essen, je veux la voir enfermée dans sa beauté mutique, magnifiquement butée, regardant de face ce devant quoi le monde ferme les yeux. Fidèles à ce silence central, ses armes se sont tues le jour de sa capture. Les messages du pistolet 9 mm haute précision tapi au fond de son sac sont à jamais demeurés dans le barillet.

CAPTURE

Prison de Cologne-Ossendorf, juin 1973.

Deux jours plus tard, le 9 juin, la glace du temps se craquelle à nouveau, engloutissant Brigitte Mohnhaupt et Bernhard Braun. Nous sommes expulsés du cercle de la durée. Mon tour approche, le doute n'est plus de mise. Qui tire un de nos pieds fait main basse sur le corps entier. Voilà notre faiblesse. Notre structure aurait dû bifurquer comme dans un récit de Borges. Il aurait fallu fibrer le temps de la lutte et l'espace des villes, opter pour un labyrinthe de réticules, une toile d'araignée aux fils entrecroisés. Les planques qu'on m'offre sont des sables mouvants. Sous les choses, je vois le guet-apens, le cercueil de feu, de boue qu'on me prépare, le temps qui me tend un croc-en-jambe, la mort qui, pour circonvenir ma vigilance, fait semblant de somnoler. La lettre qu'en prison Gudrun m'a écrite plante les opérations à venir, la mobilisation d'un cercle de sympathisants.

Ils ont arrêté quelques-uns de nos membres, mais ils n'arrêteront jamais notre mouvement ; ils ont beau mettre à l'ombre les corps des camarades, les esprits traversent les murs. Le nouvel alphabet que nous avons lancé, la génération qui vient en fera un roman dont les chapitres seront bien plus sanglants que les nôtres. On ne brise pas du dedans une insurrection des nerfs et des sens. La jeunesse ne veut pas du monde que vous lui préparez, elle a soif de vagues en fête qui conjuguent les coquillages aux étoiles, les étendues de la conscience aux ailes du soleil.

Je n'ai pas confiance en Fritz R., le jeune instituteur qui nous héberge, Gerhard Müller et moi, à Hanovre-Langenhagen. Tout ici est suspect jusqu'au nom de la rue, Walsroder Straße, la rue où la mort rôde, où les gaz ankylosent les arbres. Le matin du 15 juin 1972, j'expérimente dans mes muscles, dans mes organes, les coulées rimbaldiennes du *Bateau ivre* « les Aubes sont navrantes. Toute lune est atroce et tout soleil amer ». Dans mes bagages, dorment une mitraillette, trois pistolets 9 mm, deux grenades à main ainsi qu'une bombe. Dans mon corps, rien ne somnole ; dans ma tête, un ballet d'idées s'ordonne sur la ligne méthodique de la révolution. N'ayant d'autre test que leur application dans le réel, nos analyses ont une base pratique : là où nos pères ont été complices des bourreaux, n'être jamais l'auxiliaire de l'oppression. « Un se divise en deux » car la société est portée par le mouvement de la scission, par la riposte de la révolution à la contre-révolution, car l'antagonisme a toujours été le moteur de l'Histoire, le moteur de l'amour. Je vous parlerai un jour de Siegfried — Andreas — au milieu de Gutrune — Gudrun — et de la Walkyrie Brünnhilde — moi-même —, de ce héros rédempteur qui oublie la Walkyrie et convole avec une mortelle. Je me vide de moi, je me vide de l'Allemagne malade, tortionnaire, je me vide de la brutalité américaine. L'instituteur qui nous a accueillis sent le mouchard. Le conflit des pères inféodés au tsar et des fils populistes chez Tourgueniev, le conflit des générations, c'est maintenant. Prendre garde à ce que nos actions ne soient déportées, ne pas laisser se creuser une distance entre les actes et soi, n'être le représentant ni de quelques-uns ni de tous, frayer les premières notes de la libération sans composer l'opéra… Le corpus de nos règles est étroit. Ainsi son impact sera-t-il vaste.

Le soir ne monte pas sans angoisse. Ce 15 juin, soir et angoisse sont arrivés trop vite, chape de plomb sur Hanovre et chape de plomb sur mes épaules. À quand les esprits sans rails et sans œillères, les pieds qui défoncent la route menant à l'abattoir, le pouls du monde qui bat au rythme d'une cantate de Bach ? À quand la mélodie du grand vent où se tisseront les voix de Blanqui, Gramsci, Malatesta, Durruti, Kropotkine, Emma Goldman ? Je tournoie à la pointe des minutes, 18h02 meurt, 18h03 se profile... Non, mon livre des heures tourne à l'envers. Le compte à rebours a commencé.

Hanovre pue la flicaille. Tout bourdonne autour de moi avant de vrombir en moi puisque plus rien désormais ne me protège du dehors. Mon instinct me dit « fuis », ma raison me dit « prends la plume et dessine un plan d'action », la panique me dit le contraire de ma conscience vive et me chuchote le même que ma fatigue. La reine des facultés, c'est pourtant l'intelligence de l'action. De Rimbaud, je me sépare sur une seule formule qui macule son *Alchimie du verbe*, qui fauche l'or de sa poésie : « l'action n'est pas la vie, mais une façon de gâcher quelque force, un énervement ». De Rimbaud — amputé de sa formule —, j'attends qu'il me tende un signe. Partir ou rester, dans quelle voie s'engager ? L'indécision qui me ronge n'effleure pas Gerhard qui sort nonchalamment afin de passer un coup de fil. La porte qu'il claque se referme sur les cieux de mon enfance. Des cieux qui furent défoncés par le bruit de la guerre, par des mots à cheval sur le silence et le crime, par l'exil des hommes à l'intérieur de l'acier.

La guerre, c'est avant tout des bruits et des odeurs, des champs jaunes qui se referment comme un accordéon de malheur, des bottes qui terrassent des bouches, des bouches qui cherchent le Seigneur au bout de leur langue. On a écrasé mon enfance et la guerre l'une contre l'autre, on a broyé mes mots, sectionné mes phrases alors que je cherchais la phrase de l'univers. Le mot *Krieg* a mangé quatre lettres de mon prénom, le r, le i, le k et le e de sorte que seul « Ul » demeure... Heureusement, mes noms de code, mes noms clandestins sont Anna ou Rana, Liesel aussi, mais Liesel serait-il contaminé par le i et le e de *Krieg* ? Comme il y a une palette des couleurs, il y a un spectre des odeurs. Depuis l'ablation de la tumeur qui le perforait, mon cerveau perçoit les superpositions d'odeurs en tranches bien régulières. Il n'est guère besoin de carbone 14 pour reconstituer les strates du temps car, à partir d'une senteur, mes narines réveillent les fragrances qui lui ont donné naissance. Par ma généalogie des parfums, je fais main basse sur la durée, descends dans ses couches sédimentées. Brusquement, je comprends que Hanovre ne sent pas seulement la flicaille. À l'arrière du voile compact se découpent les sentines brunes de la guerre. L'air est irrespirable car les chairs continuent d'y brûler.

L'Allemagne a trop de corps qui demandent justice. Il n'est rien de plus obstiné qu'une odeur, laquelle, en n'omettant rien de ses origines, fait comparaître au présent le passé toujours vivant. En RFA, en RDA, le présent est mort car le passé est trop vivace. J'écrase ma cigarette sur le mur de Berlin, sur le miracle économique né de la défaite allemande, sur les noms des porcs qui nous gouvernent. L'enfance est un cube étrange qui a plus d'angles que de faces. Les coins de ma jeunesse échappèrent aux mains du nazisme ; abreuvés par le socialisme de Johannes Guthardt, le père de ma mère, par l'opposition de Renate Riemeck à Hitler, par la résistance de mon père Werner et son adhésion à l'Église dissidente, ils se sont soustraits au délire national-socialiste qui emportait la ville conservatrice d'Oldenburg où je suis née. Helmut Ensslin, le père de Gudrun, appartenait lui aussi à l'église confessante qui, scindée de l'église protestante du Reich, s'opposa au régime nazi.

Gerhard tarde à revenir, est-il mort ? Hitler est-il vivant ? Les odeurs livrent bataille entre elles, les Ulrike d'avant, les Anna, les Rana, les Liesel tourbillonnent en moi, les paroles de Procol Harum défont les odeurs. *And although my eyes were open they might have just as well've been closed if music be the food of love then laughter is the queen*. Le cap de la révolution ne se perd jamais, même si des membres de l'équipage tombent à l'eau car, comme dans *Moby Dick*, il y aura toujours un mousse, un Ismaël survivant pour reprendre le flambeau. Ce que fera la guérilla ne ressemblera en rien à ce qu'elle a été. Lorsque la porcherie impérialiste engraisse, les manucures polies deviennent obscènes ; dialoguer avec la barbarie, c'est murmurer des prières à un ouragan sourd, serrer la main de celui qui vous enterre vivant. La question n'est pas de savoir si on a le droit de tuer mais celle de nos possibilités de vie. L'affairement dans les faux problèmes est l'alibi des indécis. La seule morale est celle qui augmente nos puissances vitales, qui met le sourire avant la bouche, le désir avant l'organe. Où restes-tu, Gerhard ? 18h44 se couche dans 18h45. Petite, je disais « les minutes paires s'allongent dans les impaires là où les impaires trépassent dans les paires ». 18h45 bat contre mes tempes. Chaque minute, des dizaines d'enfants meurent au Vietnam ; chaque minute, des mannes de bombes déposent des rires de napalm sur des forêts folles tandis que les collines marchent à cloche-pied, se maquillant en nuages pour déjouer les plans des nouveaux maîtres du monde. Dans l'esprit des Viêt-côngs, les fleuves se redressent à la verticale et se mettent à piaffer avec des accents de chevaux sauvages. Le Mékong se soulève dans mes veines, l'aviation américaine vrombit dans mes oreilles. Dans cet appartement, tout pue la trahison. Tout indique que le jeune instituteur s'apprête à lâcher une marée de minutes piégées.

Postée à la fenêtre, je cherche Gerhard du regard, brisant mon agitation contre le calme de la rue, contre cette tranquillité qui enveloppe les façades, les trottoirs, le chien qui passe. Je sens le décor, l'immense trompe-l'œil, le Hollywood bas de gamme qui se prépare. Le faux calme pue la vraie guerre qu'on va me livrer... Il est bien connu que toutes les fenêtres mentent. Celle sur laquelle je m'appuie cache la tempête, celle au travers de laquelle l'anarchiste Giuseppe Pinelli se serait jeté a dissimulé le bras du commissaire Calabresi poussant Pinelli dans le vide. Les quatre lectures de la Bible, il faut les appliquer à l'Histoire.

La rue prend son vrai visage lorsque la sonnette retentit. Ouvrir la porte et ouvrir ma mort ne sont qu'une et même chose. Pour l'heure, je n'ai pas d'autre certitude. Avant de tourner la poignée, tout est déjà fait, déjà joué. La caméra m'a prise de dos, je dois faire volte-face, je dois sauter dans le hors-champ, dans mon enfance, dans une page de Brecht, je dois caler ma peur sous ma langue, j'ouvre la porte, j'ouvre ma vie, j'ouvre ma mort et abreuve d'injures les policiers qui, sur moi, se jettent. J'adopte la forme que prend ma rage, deviens ronde comme les cris que je décoche en bouquets serrés. Je fais monter en ma bouche la grenade que j'ai laissé reposer dans mes bagages.

Les policiers ne sont pas sûrs de me reconnaître, d'avoir fait main basse sur Ulrike Meinhof. Ils ne savent pas où je suis, dans quels corps je me jette lorsqu'on m'entrave, dans quelles têtes s'active la révolution. Ils pensent substance statique, essence, nous pensons nœuds de forces dynamiques, c'est pourquoi nous gagnerons. Ils ne savent pas localiser les axes de la révolte ; ne pouvant intercepter ce qui rebondit d'une conscience à une autre, ils lancent leurs filets sur nos eaux vagabondes. Ils tentent de m'identifier, comparent mon crâne avec celui qui figure dans un article du *Stern*, ne saisissent pas que l'ère de l'identité est révolue, que le principe d'indétermination de Heisenberg vaut pour la lutte armée… L'État connaîtra soit notre position, soit notre vitesse, jamais les deux à la fois. C'est pourquoi nous gagnerons. Mon crâne les obsède. Ils veulent savoir qui est qui, qui fait quoi, quelle main a déposé telle bombe. Mais nous sommes une forêt de bras qui sèment en plein vol, un maquis de pensées qui se propagent à la vitesse de la foudre.

L'énergie qui circule de l'Armée rouge japonaise aux Black Panthers, des Cellules révolutionnaires aux Brigades rouges, rien ne peut l'emprisonner. Jamais la révolution ne reste à demeure au rez-de-chaussée. Pour les flics, l'eau, c'est deux molécules d'hydrogène et une d'oxygène, Ulrike Meinhof un crâne porteur de cicatrices particulières consécutives à l'opération. Comme le disait Hegel, pour les flics, l'esprit est un os. J'aurais pu enjamber la fenêtre et sauter du premier étage, j'aurais pu convoquer l'arsenal d'armes impatient d'exploser. En entrebâillant la porte, j'ai mené mon existence sur la ligne où se tiennent déjà Andreas, Gudrun, Holger et Jan-Carl. Je les ai rejoints. La frontière entre la vie et la mort, la révolution la traverse dans les deux sens. Les lois des organismes isolés, nous les avons dépassées. C'est pourquoi nous gagnerons.

Le sentiment que la tête explose, le sentiment qu'en fait la boîte crânienne va se casser, exploser.

Le sentiment qu'on te rentre de force la moelle épinière dans le cerveau.

Le sentiment que le cerveau se ratatine comme un fruit sec.

Le sentiment que tu es sans cesse sous tension sans que cela se voie et que tu es téléguidée.

Le sentiment qu'on te démolit les associations d'idées.

Le sentiment de pisser ton âme hors de ton corps comme quand on ne peut pas retenir l'eau.

Le sentiment que la cellule bouge — tu te réveilles, tu ouvres les yeux, la cellule bouge, l'après-midi quand le soleil brille, elle s'arrête tout d'un coup. Tu ne peux pas te débarrasser de ce sentiment que tu bouges (...)

Pour parler à voix normale, il faut des efforts comme pour parler très fort, il faut presque gueuler.

Le sentiment de devenir muet.

Tu ne peux plus identifier le sens des mots — tu ne peux que deviner — l'usage des sifflantes — s, ss, tz, sch — est absolument insupportable.

Les gardiens, la visite, la cour semblent de celluloïd — maux de tête — flashes.

On ne peut plus contrôler la syntaxe, la grammaire. Quand tu écris deux lignes et, à la fin de la deuxième ligne, tu ne peux pas te rappeler le début de la première.

Ulrike Meinhof, *Lettre de l'aile de la mort,* ca. 1972/1973.

Ulrike Meinhof, éditorialiste à *Konkret*.

PRIVATION SENSORIELLE

Prison de Stuttgart-Stammheim, août 1974.

On m'a transférée de Cologne-Ossendorf à Stuttgart-Stammheim, d'une technique de mort à une autre. Du 15 juin 1972 — jour de mon arrestation — au 24 février 1973, on m'a soumise à la torture de l'isolement total. 237 jours de lavage de cerveau en vue de briser toute conscience politique, 237 jours de mort lente... On m'a infligé l'isolation sensorielle une deuxième fois du 21 décembre 1973 au 3 janvier 1974. Depuis le mois de février, je suis enfin aux côtés de Gudrun, au septième étage de Stammheim; nous faisons de nos cellules 718 et 719 un poing qui jamais ne dort, qui étouffera la bouche du système. Du 5 février 1974 au 30 avril 1974, le système a expérimenté pour la troisième fois contre ma personne, pour la première fois contre celle de Gudrun, ces électrochocs blancs, cette annihilation de la personne que provoque l'isolement absolu. Il ne fait aucun doute que l'État veut nous liquider avant le procès. Les neurones qui fondent sous le silence, le vertige qui s'empare du corps qu'on soit debout ou couché, la perception d'une contraction de soi, d'une dilatation du temps et de l'espace, les idées qui se déboîtent… il n'est rien que la torture par privation sensorielle laisse indemne. Chaque mot à prononcer pèse une tonne, les phrases se télescopent, broyées par le vide qui fait exploser le crâne. L'absence de sons, de contrastes entre lumière et ombre mutile moins qu'elle n'émiette. Les plans du dedans et du dehors se confondent. Le cœur saute dans le bras qui part à la dérive tandis que les murs de la cellule se resserrent jusqu'à broyer le corps.

Avant de se noyer, les idées fendent les pupilles d'un coup de poignard. On tente de sortir hors de soi pour assassiner le silence qui grignote muscles et nerfs, pour ouvrir à tous vents une poitrine que l'angoisse oppresse. L'État sait qu'un organisme coupé des interactions avec son environnement se décompose. La torture blanche produit un dérèglement des sens qui annihile celui chanté par Rimbaud.

Le silence n'a pas d'anfractuosités où se cacher. Son étendue glabre est un glaive qui taillade le cerveau. Pour préserver le langage, on crisse des dents, on cale des mots-étoiles contre la voûte du palais ; pour n'être l'otage du rien, on répertorie sur sa chair les grains de beauté, les ongles cassés, les cicatrices. Recenser, cataloguer les paysages de sa peau, c'est la sauver. Gestes lents, battements cardiaques rapides, porte blindée sur la langue, doigts évidés de leur sève, tout se confond... Les perspectives spatiales s'effondrent les unes sur les autres, le plancher chavire, les angles se distordent, les objets perdent leur forme stable et leurs couleurs, des rangées de herses traversent l'encéphale, la mort s'écoule dans le lacis des veines puisque le temps s'est figé. Attaqués par le silence, les globules rapetissent, les cellules courent à travers un blizzard, les mâchoires tombent, les paupières clignotent. Le grand traité du silence reste à écrire, lequel esquisserait les nuances entre la mort de l'ouïe et celle qui, par ricochet, frappe la vue, l'odorat, le toucher et le goût.

Une tombe avant la tombe, voilà ce à quoi la démocratie allemande abonne ses opposants. Le cerveau acquiert la texture de l'éponge, le réseau des nerfs se hérisse de barbelés, le corps succombe à une pesanteur d'une densité inouïe. Les lois de propagation de la lumière, les réactions chimiques cessent d'être opérantes. Afin que ne règne l'équivalence entre formes tombées en absence, j'ai ouvert le corps du silence, m'obstinant à y dégager des qualités, des nuances, traçant des repères dans ce qui échappe à toute orientation, à la recherche de points qui se laissent tirer en lignes. Ne pas se laisser grignoter, consolider le terrain du moi, tracer des ponts entre les idées qui s'effilochent, garder le contrôle dans l'enchaînement des mouvements… il n'y a pas d'autres impératifs de survie. Les lumières qui se mettent à siffler, frappant le front qui bourdonne, petite ruche prête à éclater tandis que les organes se détachent, se disloquent, que la voix s'ensable ; froid et chaud, haut et bas, dur et mou pris dans un fondu enchaîné et l'oreille qui pirouette pour s'inventer un compagnon autre que le bruit du cœur, en quête d'une extra-systole et d'une extra-diastole des pensées… L'architecture des idées se délabre, vestibule, cave éventrés. Les perceptions s'affolent sous l'attaque des anti-sons, les tympans dépecés s'échinent à se greffer des paupières.

En l'absence de stimuli, les organes des sens entrent en convulsion. La gorge qui se resserre devient trop étroite pour laisser passer les mots, la rétine écorchée sécrète des hallucinations, les raisonnements sont la proie de spasmes. Points cardinaux brouillés, rut de la salive sur les phrases qui rampent alors que l'œil se sent à l'étroit dans son orbite, chant d'acier qui enserre les tempes… Dans ce bain de plasma, la main et le verre dont elle s'empare coagulent sur fond d'un hold up cérébral, le gazouillis des phrases moribondes migrant de la bouche au nombril. Silence gras et épais ou silence volatile, silence à l'éclat du diamant ou silence tout en tremblements... d'une heure à l'autre, il change de texture, virant du végétal à l'animal, du lisse au rugueux, variant ses modes d'attaque, ses zones d'ingérence. Ce qui n'occupe aucun espace se glisse dans tous et rend les barrages inopérants. Gaz rongeant l'organisme, le silence balance ses métastases au rythme d'une épidémie blanche. Et pas d'écoutilles pour crever son ciel, pas de crans d'arrêt pour freiner son expansion... Sa meule qui tourne sans relâche sectionne épiderme, derme, subderme avant d'attaquer les nerfs.

Les orifices sont les plus exposés ; avec leur concours, l'ennemi progresse ; c'est leur passivité qu'il faut convertir en activité. L'agitation des neurones joue des tours, sensation vraie d'une scène mythique, sensation d'une repousse du cordon ombilical, certitude que chaque cavité corporelle a eu, jadis, son cordon ombilical, que le nombril, les narines, les pavillons des oreilles reconstituent les leurs. L'organisme se débat au milieu d'une forêt de cordons qui, loin de ramener vers la naissance, entonnent un chant de mort. Un tronc de palmier sort de la bouche, une liane noueuse croît du rectum à l'anus. Gavé de lumière, picoré par des marteaux-piqueurs, le corps se morcelle, les idées se dessèchent, preuve que l'ombre est la meilleure amie de l'homme. La kératine délaisse cheveux et cornée pour obstruer la bouche, l'énucléation frappe les cellules une à une. Trouée, l'écorce du cervelet sécrète des drippings, fécondant une hécatombe de Jackson Pollock. Sur les hauts plateaux de la torture, l'herbe est rase. Rien ne contient la dérive de la banquise, rien n'arrête les harpons de photons. Plantés dans les yeux, les oreilles, les narines, la bouche, le vagin, l'anus et le nombril, les dix cordons post-fœtaux ombiliquent ce qui reste de sève.

Syntaxe corporelle déréglée, coordination mentale désaxée, un goût de nénuphar annonce le naufrage de ma bouche... Au cœur de l'émeute, les cytoplasmes doublent de volume. On me sert un champignon atomique en guise de mets principal. Sous l'action de l'anacrouse organique, mes phrases se mettent à marcher à cloche-pied. Sous une salve de cathodes haute tension, l'ampèremètre Œrsted Joule Volta Watt valse à la poubelle car j'ai trop de chiures lumineuses au coin des yeux et la rosace des points cardinaux tombe en poussières. Dilemmes. Se resserrer de partout ou laisser du jeu au relâchement ? Raisonner allopathie ou homéopathie ? Consolider l'auto-immunité d'un coup ou par paliers ? Chaque instant est une lutte contre le tout du temps. La sensation de soi se rétrécit mais le cou enfle. L'air n'habite plus les poumons, la bile déserte la vésicule. Sous un ras de marée lumineux, les pensées se noient vite, les rats rongent l'échine, tissus nerveux en expansion, tissus adipeux en proie à la fonte. Je recours à une haute ruse thermique. Je calque la fission d'Ulrike sur celle de l'uranium 238, accélérant le bombardement des neutrons d'heure en heure. Dans les prisons de la RFA., les réacteurs nucléaires de pointe travaillent en surrégime.

Les mécanismes de la parole se grippent, implosion de la succession sujet-verbe-complément.

Entre le sol et les pieds, il n'y a plus d'harmonie, les proportions entre le vide et le plein se déséquilibrent.

Étranglée par un garrot, la tête ne reconnaît plus le relief, adieu, stéréoscopie, le monde vire à la bande dessinée en deux dimensions.

Estomac — stop — bloqué — verrou du cœur — stop — sauté — la carotide — stop — détachée du cou — la durée — stop — une croûte de bulles qui éclate — les concepts pattes d'éléphant — stop — qui partent en fumée. Comment contrecarrer le ralenti qui frappe le temps, freiner l'accélération des émotions, convaincre l'œil, l'oreille de continuer à vivre ?

Comment consolider un corps dont les digues s'effondrent ?

Bardée de lumières, la cellule n'est plus qu'une cage de Faraday. Puisque trois pommes d'or ne suffisent à entraver la course de la RAF, la course d'Atalante, toutes les fées Électricité balancent un ballet d'uppercuts. Au XXe siècle, en Allemagne, pour assujettir Atalante, il n'est plus besoin de la transformer en lionne et de l'attacher au char de l'État. L'enfer du blanc la plongera dans le degré zéro de l'existence. Dans ce déluge aurifère, la mort a une rangée de dents le long de chaque doigt ; mais si le système rejoue l'histoire du roi Midas, c'est pour faire du fleuve Pactole un Styx… But de l'opération : produire dans le chef des opposants au système l'équivalent d'un fœtus extra-utérin, à savoir un cerveau extra-crânien. Rien ne filtrant du dehors, le dedans est porté à ébullition. Pas d'autre voie pour nous que de rapatrier en soi ce qui file dans l'informe.

De jour en jour, je reconduis mon « non », non à l'entropie qui frappe chiffres, lettres, noms, choses, langage, action. Ma volonté, je la tends comme une flèche de cathédrale. Face à l'injection de penthotal, au noyautage par un sérum de vérité, mon esprit se cabre, se raccrochant à la clarté des syllogismes.

À chaque instant, j'applique la stratégie de Mao : puisque la lutte procède du local au global, contrôler une parcelle de mon corps, c'est maîtriser le tout. « Étant donné X, dès lors Y », « si A et B, s'ensuit C » : à ces liens logiques les plus élémentaires, je me cramponne. Ne pas me quitter, demeurer au plus proche de mon foyer. À chaque lever du jour, à chaque minute basse de silence, je m'astreins à tenir bon sur ce cap.

Un déluge de rien détruit mieux que des cataractes de matières. Couper les sens de ce qui les alimente, les affamer, les assoiffer, leur soustraire ce qui les comble, les faire chavirer les uns dans les autres. Sur nous, l'État applique la recette de la mort lente. Mieux qu'une mutilation, une corrosion invisible sans qu'il soit besoin d'instruments d'excision. Une déforestation sans tronçonneuse ni scie. Depuis le IIIe Reich, l'Allemagne a fait des progrès. Désormais, le zyklon B est superflu. La lumière, le silence tuent en ne laissant aucune trace, au faîte d'une technique d'assassinat aseptisée. Loin des fastes spectaculaires, la torture se fait plus sobre, plus ascétique, intrigue parfaite pour un polar où le pullulement des cadavres demeurera inexpliqué. La durée n'est plus qu'un lac dont chaque minute compose la vase, la moelle épinière un accordéon aux soufflets défoncés.

À temps plein, je fabrique des enzymes de rechange, des sensations compactes et stables qui tiennent l'abîme en respect même si le verrouillage des paupières ne compense guère le manque d'obscurité. Nous sommes des rats dans le laboratoire de la *camera silens,* le système neuro-végétatif est en passe d'être détruit, les troubles touchent toutes les fonctions — marche, sommeil, mémoire, langage, nutrition, excrétion... Le corps pourtant se met en pilotage automatique et regagne des îlots de vie. Les sens bâillonnés s'épaulent, la chair se traverse pour se mettre à l'abri. Sectionné, le nerf optique repousse plus dru et l'esprit qui, sans relâche, emprunte les embranchements de la rébellion retrouve son axe. Leurs volontés se briseront sur la mienne. Chaque jour, dans l'ouragan blanc du silence, je cherche une phrase qui me tienne lieu de parapet. Les derniers jours d'avril 1974, je me suis raccrochée à une pensée de Mao, « qui n'a pas peur d'être écartelé ose renverser l'empereur de son cheval ».

Le sentiment qu'on se consume de l'intérieur, le sentiment que si tu disais ce qui se passe, si tu lâchais cela, ce serait exactement comme jeter de l'eau bouillante à la figure des autres, et les ébouillanter, les défigurer à vie.

Une agressivité démente pour laquelle il n'y a pas de soupape.

C'est le plus grave, la conscience qu'on n'a aucune chance de survivre et l'échec total de faire comprendre cela à d'autres (...)

Le sentiment que le temps et l'espace sont irrémédiablement imbriqués l'un dans l'autre.

Le sentiment de se trouver au milieu de miroirs déformants, de tituber.

Après : une épouvantable euphorie, parce que tu entends quelques chose, à cause de la différence acoustique entre le jour et la nuit.

Le sentiment que le temps coule maintenant, que le cerveau se dilate à nouveau, que la moelle épinière se remet en place pour des semaines.

Le sentiment qu'on t'a arraché la peau (...)

Bourdonnements d'oreilles et, au réveil, te sentir comme rouée de coups (...)

Comparaisons, concepts qui te viennent à l'esprit :

Aux prises avec un fauve psychique, tambourinage impitoyable comme dans une fusée en pleine accélération où les types sont écrasés par la vitesse.

La colonie pénitentiaire de Kafka.

Ulrike Meinhof, *Texte de l'aile de la mort,* ca. 1972/1974.

GRÈVE DE LA FAIM

Prison de Stuttgart-Stammheim, septembre 1974.

J'approfondis la question sur laquelle reposent toutes les autres : la société civile, les étudiants, les ouvriers ne sont-ils pas prêts pour nos actions ? Avons-nous brûlé les étapes historiques là où il eût fallu attendre la rencontre du désir de révolution et des conditions objectives de la lutte ? Les Grecs appelaient ça le *kairos*, Marx la fusion de l'esprit subjectif et de l'esprit objectif. Mais s'il existe un temps de latence où la révolte rampe dans les esprits avant d'éclater dans les faits, s'il faut que l'indignation mûrisse en rébellion, peut-on en conclure qu'il y ait un temps qui ne soit pas celui de la révolution ? En droit, tout contexte politique, économique, social est le bon. Dans les faits, il faut faire fond sur le sentiment du degré d'insupportable. Non, nous n'avons pas été trop vite par rapport aux masses qui n'étaient pas prêtes. Les faits suivent exactement notre grille d'analyse. Pour casser toute adhésion à notre cause, l'État dénature nos actes et crée la panique dans la population, jetant bas sa devanture démocratique, trahissant sa nature fasciste. Tous les systèmes déstabilisés par le souffle de la résistance organisée réagissent par la diffamation, par la manipulation de l'opinion et la défiguration de l'action politique en crime de droit commun.

Souvenez-vous des manœuvres du gouvernement italien lors de l'attentat de la piazza Fontana en décembre 1969, du camouflage d'une action de l'extrême droite par son attribution à l'extrême gauche, à la mouvance anarchiste... Rien de plus commun que d'imputer aux mouvements de gauche qu'on veut noircir, tuer dans l'œuf, les massacres commis par et pour l'État. Au terme d'une auto-critique, je puis soutenir que nous n'avons pas projeté au-dehors, halluciné une volonté révolutionnaire qui n'existait pas ailleurs qu'en nos consciences. La contestation estudiantine ne s'est pas assoupie après une opérette festive. Les mers ne peuvent que se soulever contre un Léviathan qui les vide de leurs chants. Les acteurs n'ont pas à peaufiner leurs rôles. La révolution est prête au-dehors lorsqu'elle l'est au-dedans. Nous ne composons pas pour les autres la musique de demain. Nous sommes la grenade que les peuples du Tiers-

Monde et les opprimés de l'Ouest dégoupilleront. On a tort de dire que nous étions en avance ou en retard, bref, pas à l'heure. Tu connais ma formule, Gudrun, c'est la révolution qui donne l'heure au temps. Preuve en est la révolution des Œillets qui vient de renverser la dictature qui asphyxiait le Portugal ; preuve en est l'écrasement de la junte dirigée par Papadopoulos, la chute de la Grèce des colonels. Les horloges enrayées par l'oppression brisent à présent leur cadran pour se tenir dans l'axe du soleil. Le théorème de la mort que l'État déverse sur nos crânes, nous en ferons sauter toutes les clauses.

Oui, Gudrun, pour reprendre ta lettre de juin 1972, la Fraction Armée Rouge est ce bateau, ce Péquod conduit par Achab-Baader qui, jamais, ne laissera de répit à la baleine impérialiste. Non, Gudrun, pas plus que tu n'es le cuisinier Smutje qui veille sur la cohésion du groupe, je ne suis à côté de l'équipage, sous les traits d'une sainte Thérèse d'Avila dévorée par la mystique. Ton esprit perd pied s'il voit en moi celle qui a confondu la lutte armée et le carmel, les marches de la révolution et les degrés de prière pour s'unir à Dieu. Notre soif de liberté, ce ne sont pas des postures ascétiques qui la combleront. Que, pour certains, comme je le montrerai, Dieu et la révolution forment un seul et même être n'empêche que, pour moi, la présence de l'un exclut l'autre. Où Dieu est, la révolution n'est pas ; où la révolution éclate, Dieu n'est plus possible. Cessons d'ailleurs de revenir là-dessus, Gudrun. Nos corps brûlent d'une même étoile, entre rose et incarnat le matin, vermillon la nuit tombée. D'en allumer une, toutes brilleront. Holger Meins-Starbuck, Gerhard Müller-Queequeg, Horst Mahler-Bildad... de tous les personnages de Melville, tu sais que c'est le cachalot blanc, Moby Dick la sauvage, la solitaire que je préfère. Erreur de notre part d'appeler le système « Moby Dick », limite de nos actions de ne pas militer, en sus de la libération des humains, pour celle des animaux, des arbres, de l'environnement...

À la face de ceux qui nous jugent, nous brandissons notre corps comme arme, notre corps qui connaît la débandade de l'intérieur, en proie à une faim qui cogne dans des organes de moins en moins organiques, de plus en plus métaphysiques. Cette troisième grève de la faim que nous menons ne sera pas la parabole édifiante que le pouvoir attend. Ou bien la torture blanche, la baleine blanche, l'isolement seront levés ou bien l'État aura à répondre de la mort de dizaines de prisonniers. Du 17 janvier au 16 février 1973, du 8 mai au 29 juin 1973, du 13 septembre 1974 au finish... nos grèves de la faim sont l'étendard illimité que nous déployons à nouveau dans le ciel germanique, nos grèves sont ce caillou qui fera sauter les cages en verre de Stammheim, les maisons d'arrêt de Schwalmstadt, de Wittlich, de Cologne... Le silence de nos organes les essorillera, crois-moi Gudrun. Soit, nos revendications seront satisfaites, soit, nous claquerons entre leurs mains. Il n'y a pas de troisième voie. Lors de la deuxième grève de la faim, Andreas est tombé dans le coma après que l'eau lui eut été supprimée. Le coma de l'Allemagne est d'une autre nature, proche d'une folie onirique qui limite la vision du monde à une seule dimension. Une chaîne de corps refusant de s'alimenter, un coup de gong qui hurle « non » aux méthodes par lesquelles on veut nous détruire... Ce geste répété de prison en prison est frère de celui de tous les détenus politiques qui ont joué cette ultime carte quand tout leur était refusé.

Tenaillé par la faim, le corps sort de lui-même et rejoint ceux des camarades. Si la grève part de la bouche et gagne l'estomac, elle n'est pas sans ameuter tous les organes qui s'alignent sur un unique mot d'ordre : ne céder à aucune nourriture tant que les conditions inhumaines de détention ne sont pas levées. Je te parlais, Gudrun, du silence des organes privés de toute alimentation, mais ce silence est entrecoupé de sonorités désarticulées qui sourdent entre les muscles et la peau, entre les nerfs et les os, comme si une anatomie disloquée par la faim sécrétait des chants qui ne se tiennent ni dans la vie, ni dans la mort. Comme les organismes, la musique a besoin d'eau et d'aliments pour bâtir une architecture cohérente ; comme eux, elle se troue, s'évide et bégaie quand ses ingrédients vitaux lui font défaut. Plus rien n'est à sa place, c'est ça la grève de la faim, la grève que la faim s'impose, le débrayage des atomes qui rend la conscience fluide et agglomère les états qu'elle traverse. C'est ça la grève de la vie : le chamboulement de toutes les places, les oreilles qui entendent par les pieds, le cœur qui bondit sur le côté, dans l'axe des nerfs, la gorge qui se rétrécit, les mots qui enflent, la mâchoire qui émigre vers le sud, vers le bas-ventre ou vers l'aine. C'est ça la grève d'une fonction vitale : la dyslexie de la syntaxe, l'avant qui est en retard sur l'après, les borborygmes qui fusent avant les torsions de l'intestin, le cri qui s'élève avant que les poumons ne se remplissent d'air…

Digérer du vide, il n'est rien de plus compliqué. En mastiquant du vide, on broie des couleurs, on saupoudre des senteurs par des sons puisqu'il s'agit de boucher un orifice et de faire exploser tous les autres. Celui qui se trouve amputé d'un membre ou privé d'un sens connaît l'exacerbation du membre sain, des autres organes des sens. Il en va de même avec la faim qui nous oblige à manger avec les yeux, avec les narines et qui dépêche au cerveau des mots qui bernent l'ennemi. Pour tromper la faim, il faut rassasier l'ouïe, la vue, le toucher, dérouler les recettes de cuisine à l'envers en remontant de la digestion à la préparation. Une oreille qu'aucun son n'alimente produit par la voix ce dont elle a besoin. La bouche, quant à elle, ne peut que tourner autour de sensations hallucinées par le cerveau. Veillant à soigner le crescendo, je donne en pâture à ma faim la cassette que m'a apportée Klaus Croissant, servant les Rolling Stones en hors d'œuvre, Deep Purple en plat principal avant d'atteindre l'apothéose gastronomique avec Led Zeppelin.

Lorsque j'écris à mes filles, je grignote mes mots, me gave de points d'exclamation ou de suspension. Comme la faim est une force centrifuge, il faut la contrecarrer par une force inverse, celle du langage ou des images. Ma voix se couvre d'yeux qui courent vers l'océan. Les philosophes et physiciens qui ont reconnu l'existence du vide, Démocrite, Pascal, ont dû endurer la faim. La grève menée au-dedans ouvre des portes qui donnent sur l'infiniment petit, sur le paradoxal, l'index devenant plus grand que la main qui le porte, la phrase plus courte que le mot qui bourdonne à la commissure des lèvres. La faim a trop de lettres pour se remplir de celles de la soif, *Hunger* ne sait comment accueillir les molécules de *Durst*, comment modifier les lois de la chimie afin que le gazeux, le liquide se change en solide. Après quelques jours, une couronne d'épines défonce la gorge de sorte que chaque gréviste connaît son Golgotha. Mes organes abandonnés à eux-mêmes, je perçois au-delà de ma conscience, je pressens que des camarades se mobiliseront pour nous libérer. Nos avocats seront suspendus de leur fonction, Amnesty International dénoncera nos conditions de détention et les violations des droits de la défense. La terreur d'état aura contre elle une lutte armée de plus en plus radicale. Créon et Antigone se livreront une lutte à mort sans merci...

Tu désapprouvas, Gudrun, le commando Septembre noir qui, visant la libération de 234 prisonniers palestiniens, d'Andreas et moi-même, prit en otage des sportifs israéliens lors des jeux olympiques de Munich en septembre 1972. Tu condamnas le fiasco final, la mort de part et d'autre, celle de onze sportifs côté israélien, celle de cinq terroristes côté palestinien. Nous devons fermement réprouver et s'indigner des morts israéliens. L'intervention des forces de l'ordre se solda par un bilan désastreux, mais, par cette action, la cause palestinienne compta enfin aux yeux du monde. Rappelle-toi, Gudrun, les funérailles grandioses auxquelles les cinq membres du commando tués par la police eurent droit en Libye où l'on rapatria leurs corps. Rappelle-toi les hommages que leur rendit le peuple palestinien, le soulèvement d'hommes et de femmes réduits jusque-là au silence. Rappelle-toi l'action éclatante qui se termina par la libération des trois preneurs d'otages survivants détenus en Allemagne : le détournement d'un avion de la Lufthansa en octobre 1972. Et, n'oublie pas les assassinats perpétrés par le Mossad en représailles, l'élimination de représentants de l'OLP sur l'ordre de Golda Meir. L'opération Colère de Dieu lancée par le Premier ministre israélien frappa Abdel Wa'il Zwaiter à Rome en octobre 1972, Mahmoud Hamchari à Paris en décembre de la même année, Hussein al Bachir à Nicosie en janvier 1973, Abou Youssouf à Beyrouth un mois plus tard, Basil al-Kubaisi et Mohammed Boudia à Paris, respectivement en avril et en juin 1973 et, en sus de mutiler d'autres dirigeants, culminera avec la bavure de l'été 1973, le meurtre du serveur marocain, Ahmed Bouchiki, pris à tort pour un des membres de Septembre noir… Le prochain sur la liste dressée par le Mossad sera Ali Hassan Salameh, dit Abou Hassan, appelé « le Prince Rouge », que nous avons croisé en 1970 dans les camps d'entraînement en Jordanie. L'équation Moshe Dayan = le Himmler d'Israël que j'ai posée dans mon texte sur Septembre noir, je ne la renie en rien. Désormais, le monde ne pourra plus noyer la voix des Palestiniens dans le désert ; désormais, rien n'enraiera plus leur droit à l'existence. Lorsque la nuit s'empare de Stammheim, lorsque la cause de Septembre noir monte en moi à l'instant où je me laisse gagner par le sommeil, il n'est pas un soir où je ne me relève de mon lit pour relire la liste des morts que je pleure, les morts palestiniens — les membres du commando et les représentants de l'OLP tués par le Mossad dont tu connais les noms —, les morts israéliens — les onze sportifs dont les noms, en moi, résonnent, David Berger, Zeev Friedman, Yosef Gottfreund, Eliezaar Halfen, Yosef Romano, Amitzur Shapira, Kehat Schor, Mark Slavin, André Spitzer, Yakov Springer, Moshe Weinberg. À parcourir les noms des morts israéliens, palestiniens, une tristesse infinie m'envahit.

Le sable que la faim dépose sur mes dents, sur mes lèvres rend mes mots à leur foyer brûlant, leur corps à corps avec le réel. Nous serons toujours plus que la faim qui nous habite, c'est pourquoi nous gagnerons. Récupérant la force qui s'enfuit du corps, n'ayant plus de chair où se poser, mes phrases sifflent en rase-mottes et gagnent de la vitesse. Ralentis-les à leur arrivée, si tu le veux, Gudrun. De ce jeûne qui brouille moins les plans de conscience qu'il n'en révèle des strates insoupçonnées, montent les voix de la rébellion, vivantes par-delà leur mort, des voix qui se soulèvent comme de grandes orgues dans mon corps qui claque au vent de la faim. La couleur du jeûne est le blanc. Quiconque traverse son prisme voit toutes les couleurs que les révolutions ont prises au fil de l'Histoire.

Prison de Stuttgart-Stammheim, 5 juillet 1976, Andreas Baader, Gudrun Ensslin et Brigitte Monhaupt.

« Un peuple qui en opprime d'autres ne saurait s'émanciper lui-même », dit Marx. Ce qui donne sa pertinence militairement à la guérilla dans les métropoles — à la R.A.F. ici, aux Brigades Rouges en Italie, à l'« *United People Liberation Army* » aux U.S.A. —, c'est que, dans le cadre des luttes pour la libération des peuples du Tiers-Monde, dans une lutte solidaire, elle peut attaquer l'impérialisme ici, sur ses arrières, d'où il exporte ses troupes, ses armes, ses instructeurs, sa technologie, ses systèmes de communication et son fascisme culturel pour opprimer et exploiter les peuples du Tiers-Monde. La révolution mondiale n'est assurément pas une affaire de quelques jours, de quelques semaines, ou de quelques mois, elle n'est pas l'affaire seulement de quelques soulèvements populaires, ce n'est pas un processus court (...) Nous sommes un groupe de camarades qui avons décidé d'agir, de quitter le stade de la léthargie, du radicalisme des seuls mots, des discussions de plus en plus vaines sur la stratégie, de nous battre (...) Voilà ce qu'a eu de choquant notre action pour l'État impérialiste : que la R.A.F. puisse être comprise dans la conscience du peuple pour ce qu'elle est : une *praxis*, une cause qui naît de façon logique et dialectique des rapports existants.

Ulrike Meinhof, *Déclaration pour la libération d'Andreas Baader,* au procès de Berlin-Moabit, le 13 septembre 1974.

BIENVENUE, THOMAS MÜNZER (I)

Aux juges qui me feront face, je dirai : « aujourd'hui, le monde se lève dans l'œil de Dieu » et je ferai venir à la barre Thomas Münzer, l'homme qui plaça la révolution dans le Tout-Puissant et le Tout-Puissant dans la révolution.

Je suis né en 1490 à Stolberg, entouré de toutes parts par la mort, dans une époque trop jeune pour se satisfaire des antiques croyances que colportait une religion à bout de souffle. Je suis né d'un homme et d'une femme, de Dieu surtout, puisqu'il n'est rien ici-bas qui ne porte la trace de Son intervention. Mon cœur a toujours été inquiet, d'une inquiétude nerveuse, presque musicale, aux antipodes de l'angoisse lourde et théâtrale de Luther. Je ne suis rien, je ne fais qu'accomplir en tous points la Volonté divine dont je suis l'instrument. Je ne suis qu'une lettre déposée par le Très-Haut, celle qui, soucieuse de l'esprit de l'Évangile, penche le monde vers le Texte, inclinant le front des hommes vers les lèvres du divin. Entre les tièdes et les radicaux, entre les modérés et les exaltés, Dieu a choisi son camp. Ce n'est qu'au travers des illuminés qu'Il peut réaliser son plan — bâtir sur terre son Royaume. Si la terre et le ciel passent dans mon axe et se faufilent dans mes paroles, c'est parce que le Tout-Puissant m'a choisi pour conjoindre la foi et la révolution. Seule la foi authentique garantira l'émancipation politique, la libération des paysans. Ce ne sont pas les joues de souris de Luther qui, mastiquant sans relâche le péché et le remords, vont offrir les fruits de la liberté. Tout ce qui passe dans la bouche de celui qui se pense la trique de Dieu se flétrit. Au « Dieu sauve qui Il veut » de Luther, j'oppose, comme Mélanchton, « Dieu sauve qui le veut ».

Dans la guerre sainte que les paysans mènent contre les princes, les piques, les incendies, les pillages sont le glaive que le Seigneur envoie pour asseoir une communauté chrétienne ici-bas. Dans la tourbe de la misère, la lumière trace sa voie. Relevant chaque brin d'herbe piétiné, ne laissant rien hors de Sa portée, le Souffle divin parachève Son ouvrage. D'avoir compris, contre Luther, combien l'insurrection contre l'autorité est légitime si elle vise à restaurer la foi que le pouvoir offense, je suis devenu le prophète de cette guerre des paysans dont on parlera encore dans les siècles des siècles. La puissance spirituelle de la foi a pour mission de renverser un pouvoir temporel qui la foule aux pieds, de rapprocher la musique du monde des lettres dansantes du Livre. Depuis ma jeunesse, je vois double, je déchiffre tout selon deux niveaux, creusant sous la rive du temps celle de l'éternité. J'ai affiné ce don en établissant des tables de concordance entre les épisodes des deux Testaments et les faits historiques, lisant la leçon et le sens des seconds dans l'épure des premiers. L'Histoire n'est pas cette course désordonnée, aveugle que Luther y voit ; elle suit une loi de développement qui emprunte les trois âges de Joachim de Flore et s'achemine vers la sagesse de l'âge adulte aussi sûrement qu'un bourgeon promet le fruit. Quiconque respecte une légalité qui interdit aux paysans de vivre dans le corps et l'esprit de Dieu est le suppôt de l'injustice. En s'alliant aux princes, Luther a trahi la Parole divine qu'il avait déjà noyée dans une pleutrerie de bave et de dentelles. Luther, du haut de ta chaire de mensonge, tu as beau vilipender les mouvements anabaptistes dirigés par Karlstadt et moi-même, hurler que la destruction des idoles intérieures ne doit pas se traduire par celle des statues de saints, ton doigt qui se lève chatouille les cieux sans jamais offrir aux paysans un ordre du monde conforme au Verbe divin.

Raton sournois, tu avances tes thèses, le museau râpé sur les genoux des puissants ; plus hypocrite qu'habile, tu nous agites l'image des princes comme fléaux voulus par Dieu, la théorie d'un pouvoir séculier de nature divine devant lequel on ne peut que s'incliner. Sur la prédestination et le salut par la seule foi, tu as cousu l'oripeau de la violence illégitime, du respect inconditionnel de l'autorité. Ton menton s'accommode des mites, ta conscience d'un charivari de nœuds, tes dents claquent contre les bourses emplies d'écus des seigneurs ! Les ventres des pauvres hères qui hurlent de misère, tu ne les gaves que de prières. Ta défense et illustration d'une réforme intérieure qui laisse en place les institutions n'est que joie d'une macération dans la douleur. Nous, nous ne transformerons pas notre âme sans transformer le monde. Tu ergotes, pauvre Luther, la tyrannie des dirigeants n'est pas régie par la main de Dieu ; c'est Lui que tu injuries lorsque tu Le vois manifesté dans un pouvoir inique et cruel, parant du nom de Seigneur ce qui est l'œuvre du diable. Tes pensées tonsurées te retirent le titre de croyant et de chef spirituel. Les poux de ta bure raisonnent mieux que toi. Ta théologie sent la bougie et, sous tes prêches, le peuple continue d'avoir faim et froid. Malheur à celui par qui aucun scandale n'arrive… Malheur à ton orgueil, Luther, car dans ton « Dieu sauve qui Il veut » j'entends « Dieu sauve qui je veux »... Luther, tu es l'eunuque de l'Église et la putain des rois et des princes.

Plongeons dans cette année 1525 où, sous ma conduite, les fourches des paysans révoltés défoncèrent les portes des châteaux, les murs des abbayes avec l'énergie de ceux qui se savent les porte-paroles de l'Évangile. Plongeons dans cette jacquerie qui, alors qu'elle avait Dieu à ses côtés, fut trahie lors de l'ignominieuse bataille de Frankenhausen où, le 15 mai 1525, je fus fait prisonnier. Plongeons dans ces nuits sans lune où, sous les ordres purs de Hipler, de Florian Geyer, sous le commandement du félon Goetz von Berlichingen, les paysans délogèrent de leur sommeil de velours les vies grasses et molles des seigneurs et des prêtres. Les bandes qui déferlaient sur la Saxe frottaient contre leurs joues hâves les instructions de Dieu, arrachant aux forêts et aux champs des cris de joie qu'entrecoupaient les râles des infâmes dont le ciel prolongeait l'agonie d'aube à aube, comme désireux de voir leur tyrannie les enterrer avec la cruauté qu'ils avaient, leur vie durant, exercé à l'encontre de leurs sujets.

Le 12 mars 1525, je partis de Mühlhausen vers Frankenhausen avec trois cents élus remplis d'une foi éclatante, lumineuse, qui redonnait aux campagnes les couleurs de Dieu. C'est dans le langage des chiffres que le Seigneur s'adresse à nous. Comme Gédéon entouré de trois cents hommes vainquit les Madianites, ma troupe de trois cents âmes terrasserait les ennemis de la dévotion chrétienne — le comte Ernest von Mansfeld, le duc Albert von Mansfeld, le landgrave Philippe de Hesse, tous païens jusqu'à la moelle… Dieu est plus proche de notre cœur que notre pouce de l'index. Les paysans affluaient de toutes parts pour le rendez-vous que Dieu nous avait fixé ; leurs cris rebondissaient sur des collines au dos arrondi comme des prières et tandis que les rivières murmuraient des psaumes qui rendaient l'eau plus claire, je claironnais des épîtres qui réchauffaient les lèvres de mes hommes. Le siècle marchait à la rencontre de l'Éternel. Nouveaux Adam et Ève, le temporel et le spirituel s'apprêtaient à s'enlacer. D'être touffue et dense, notre ferveur rendait les bois clairsemés. Les campagnes ont les traits de mes hommes ; les unes et les autres sont taillés dans cette même étoffe, drue et rugueuse au-dehors, mystique et dévote au-dedans.

Dans une de mes harangues, alors que la nuit tombait et que les troupes se voyaient gagnées par des peurs ancestrales, je martelai que peu importait si la poudre nous manquait puisque nous jouirions de l'aide surnaturelle du ciel. Qu'étaient les huit cents chevaux caparaçonnés, les trois mille fantassins et l'artillerie de Philippe de Hesse face à nous que la bouche de Dieu abritait ? À l'aube, le Très-Haut me vint en aide en m'envoyant un arc-en-ciel qui médusa mes trois cents compagnons et les huit mille paysans qui nous avaient rejoints. Les montants de l'arche qui nous surplombait se voyaient soutenus par les mains de Dieu. Tout s'ordonna soudain. Les bosquets noirs et trapus se mirent en file indienne, la nuit finissante disposa les étoiles sous la forme de dix doigts, la rivière échangea ses flots facétieux contre des boucliers qui nous porteraient secours comme nous épauleraient la moindre brindille, la fleur la plus chétive, la motte de terre la plus méprisée... Dépourvus du goût de la guerre qui corrompt l'humanité, nous livrerions pacifiquement bataille aux impies qui nous opprimaient, nous les petits que l'Histoire avait laissés pour compte depuis que la terre s'était séparée des eaux.

Le rideau de verdure qui s'étalait devant nous tremblait comme le suaire du Christ ; les bois s'agenouillaient pour nous laisser le passage. L'armée qui se tenait sur un des plateaux devant nous ne faisait déjà plus partie de l'Histoire. On aiguisait les fourches à la hâte ; on astiquait les tubes des canons pour déloger les poussières du diable ;

les plus vieux rapiéçaient les guêtres ou secouaient leur mémoire pour ne point rater le rendez-vous avec le Tout-Puissant. La communauté de tous avec tous que je bâtirais sur cette terre, le nouvel Éden où il n'y aurait rien qui ne se partageât, prenait ici son élan. Des ouvriers qui, travaillant dans les salines de Frankenhausen, s'étaient joints à notre cause affilaient les mèches d'étoupe avant de les enduire de graisse. Un jeune homme de ma garde rapprochée déroulait ses prédications avec une grâce toute féminine, doublant sa beauté troublante par une voix qui n'appartenait pas à ce monde. Voulant l'arracher à des rustres qui, sans crier gare, l'avaient mis à terre, je me retrouvai la joue collée contre ses lèvres et frissonnai de sentir l'haleine de ce splendide envoyé de Dieu me distiller un merci. Dans sa chair aussi blanche que neige, j'aurais voulu inscrire mes pas. Alors que je désirais que cet instant se prolongeât pour l'éternité, me croyant blessé ou attaqué, deux hommes de mon noyau dur, deux de mes fidèles Ligueurs d'Allstedt poussèrent brutalement le jouvenceau et me relevèrent. Deux fois offensée, la jeune beauté s'enfuit, me décochant un regard où se mêlaient la fierté et le reproche.

BIENVENUE, THOMAS MÜNZER (II)

Par mes émissaires, je savais qu'Erfurt était toujours dans les mains de l'armée de Dieu. Le glaive de Gédéon armant mon bras, les fidèles de l'Église adventiste ne pouvaient tomber dans les traquenards des mécréants. Taille le Blé vint à moi, écumant de rage, déversant sa rancune, exigeant des armes, une stratégie précise et non la seule protection divine. Derrière lui, formant un seul homme, se tenaient, tassés dans la hargne, Pierre le Tordu, Jeannot le Joueur, Jean le Long. Je n'ai jamais douté que les vagabonds et voleurs qui s'étaient glissés parmi nous fussent cette lie que Dieu sauvera avant tous les autres. Fort de cette conviction, je calmai la réticence, l'hostilité de Taille le Blé en lui taillant des paroles qui disciplinaient sa barbe folle.

Aujourd'hui, le monde se lève pour nous ; aujourd'hui, le monde sera sanctifié. Revenant sur terre pour le Jugement dernier, le Christ m'a choisi, moi, Thomas Münzer, comme prophète. La lumière qui écrête les hêtres et ratisse les blés est la trace du doigt de Dieu. Les huit mille paysans s'avancent en un seul front. Depuis qu'il s'est fiché au bout de nos canons et de nos lances, le soleil a enfin gagné son poste sacré. Les virages en épingle deviennent des lignes droites sur le trajet desquelles s'ouvrent les portes du royaume divin. Nos moignons, nos pieds bots sont les boutures de notre élection ; nos haillons des vitraux qui reflètent les ailes des anges.

Si Dieu a jamais eu un corps, ce fut celui formé par les milliers de paysans qui s'avançaient dans ce jour sans brume à la rencontre des lignes ennemies, leurs voix coiffant leurs armes, leurs cœurs dilatés à la démesure du ciel, en constant dialogue avec la liberté dont on les avait depuis toujours privés. Le plateau qui se présentait à nous était un dos d'âne qui allait mettre à bas les trois mille fantassins de Philippe de Hesse. Sentant la présence de Dieu en nos corps rougeoyants, la glaise que notre ardeur foulait acquérait la douceur d'un nouveau monde. Je ne m'inquiétais guère de ce que nos messagers ne revinssent point puisque le char igné d'Élie nous emporterait dans les hauteurs, à l'endroit où il n'y a plus ni homme, ni femme mais la pureté du Souffle. Un jeune berger de Thüringe aux cheveux lie de vin et aux joues de porcelaine promenait son poignard devant lui comme un aveugle se guidant au moyen d'un bâton improvisé. Deux tisserands vigoureux vérifiaient les rouets de leurs arquebuses ; un borgne implorait le Seigneur de le compter au nombre des premiers à entrer dans Son royaume. Les vallées s'ouvraient comme se donne une femme.

Toutes les routes mènent à Rome, mais une seule mène à Dieu, celle de la piété brûlante qui fait chanter le sang en canon. Déguenillés, épuisés, nous avions la seule grandeur qui ne s'éteint jamais, je parle de celle de l'âme possédée par l'Être suprême, qui, s'étant défaite d'elle-même, accueille en elle le Seigneur. Trempant à peine un orteil dans la bouche de l'Auteur de toutes choses, les lansquenets de Philippe de Hesse étaient esclaves des biens de ce monde ; le sceau de l'Infini ne s'inscrivant pas dans leur cire obtuse, ils n'avaient pour allié que le concert de leurs armes. Chaque visage qui venait me quémander un réconfort suintait la sainteté, celle que Luther n'avait pas réussi à obscurcir en la plongeant dans un quiétisme grisâtre. Nos saccages avaient été dictés par l'Évangile. Notre courroux, notre révolte n'étaient pas nôtres mais ceux de Dieu.

Châtier les princes qui contrevenaient aux Saintes Écritures, tel était le dessein du Créateur. Les canons soufflaient comme des bêtes de somme trop chargées, les gourdins prenaient la pose de tortues prêtes à attaquer. Ce n'était pas seulement pour chaque homme que je priais, mais pour chacun de leur cheveux, chacune de leurs rides, pour la jambe saine qui côtoyait la jambe malade, pour l'œil couleur émeraude qui veillait sur l'œil mort. C'est en même temps que je lançais mes implorations et baisais les squames d'un vieillard, l'abcès d'un misérable, confiant au vent qui se levait ma souffrance grosse de celle de tous mes compagnons. Avant même d'être prêtre, avant d'être nommé pasteur, j'abritais déjà en moi mes semblables, enseveli sous leurs peines et leurs espoirs. La vraie foi est itinérante et suit le vol d'un bourdon. Elle ne macère pas au fond de la Bible que tu as traduite, Luther. Elle bondit à travers les champs et les consciences.

Près de cinq mille hommes avaient atteint le dernier vallon posté avant l'emplacement de l'ennemi. Nous entendîmes alors les hurlements des nôtres. Un rescapé du massacre réussit à nous rejoindre et dépeignit l'enfer dans lequel nos troupes étaient tombées. Le diable en la personne de Philippe de Hesse avait trahi Dieu. Alors que les paysans attendaient la réponse de leur dernier ambassade, alors que la diplomatie jouait sa dernière carte, l'armée des princes donna l'assaut, profitant de l'effet de surprise pour tailler en pièces des milliers d'âmes. Le Seigneur Lui-même était mis à mort puisqu'en nos corps Il se logeait. Alors qu'on s'essayait à une négociation, qu'un délai de réflexion de trois heures avait été fixé, le comte de Stolberg avait attaqué au bout de quinze minutes, intimant à ses hommes de massacrer comme on profane, de jeter dans la mort ceux qui vivaient en Dieu. Tout alla très vite puisque Judas avait eu recours à la félonie. Ils ouvrirent le feu comme les mécréants ouvrent le bal, en déchargeant des débauches de tirs. Les plus valeureux d'entre nous jetèrent à bas les cavaliers de leur monture, les moins vaillants entrèrent dans la mort en gémissant. Les paysans agonisaient, couchés les uns sur les autres, serrant en leurs doigts maigres leur foi étincelante. Prenant de vitesse les lois de la création et le rythme séculaire des choses, des forêts de morts poussèrent en quelques heures. La vallée étalait ses bancs de moribonds qui offensaient le ciel. La mort était venue avant la bataille, la fin du temps avant l'heure. Se gonflant démesurément, un fleuve de sang s'écoulait entre les berges de la dévotion chrétienne. L'horloge céleste qui nous guidait avait chuté dans la gueule du démoniaque.

Le rescapé nous décrivit la mort qui frappait les nôtres, d'un coup de massue ou d'une canonnade, par le bas ou le haut, côté pile ou côté face. Les corps s'allongeaient comme chutent les feuilles en automne, les lèvres s'ouvraient grand pour accueillir le souffle de Dieu, les arbres se lestaient de fruits trop lourds pour leurs branches si bien que certaines craquaient sous le poids des pendus dont on les ornait à la hâte. Les blessés se cachaient sous les moribonds, les moribonds dissimulaient leurs plaies afin que le Seigneur ne fût rendu fou de douleur... Au travers de chacun des hommes qui gisaient face au ciel ou face au sol, c'est Dieu qui avait été poignardé. Au pied des hêtres, la mort pleuvait en gouttes désordonnées, empilant pêle-mêle adolescents et vieillards, taciturnes et jaseurs, enfants de la misère rapide et fils de la pauvreté lente. Ceux qui avaient attendu de naître à la vie nouvelle que ma communauté annonçait recevaient la mort comme un printemps subirait l'hiver sans jamais avoir connu ni l'été ni l'automne. Les tailleurs de pierre étaient taillés en morceaux, les tisserands strangulés sur d'invisibles métiers à filer la laine, les forgerons chauffés à la température de la mort, les jeunes hommes vierges dépucelés par l'épée. Les pieds de bouc du Malin défonçaient nos crânes, de sa langue fourchue, il sectionnait nos âmes. La mort copulait à grands cris, distillant sa semence sans compter. Les cavaliers poursuivaient les fuyards qui ne tardaient pas à danser sous un crépitement de sabots, les hennissements des chevaux les accompagnant dans l'au-delà. Le ciel dilatait ses naseaux pour intimider les rares survivants.

Gudrun Ensslin et Andreas Baader en cavale, café de Paris, 1969. Photo : Astrid Proll.

BIENVENUE, THOMAS MÜNZER (III)

On avait fait tomber Dieu dans un guet-apens. On retiendrait le 15 mai 1525 comme l'une des dates de la mort de Dieu, comme l'un de ces trépas qui jalonnent Son existence puisqu'au fil des siècles on L'a occis autant de fois qu'Il renaissait. Dans ce vallon qui avait la forme d'un ventre maternel et la couleur de l'amour, sur le pourtour de clairières qui balançaient leur œil crevé, cinq mille âmes gisaient. Mais les épées qui transpercèrent mes hommes se brisèrent contre une foi que rien ne pouvait encorner. On éventre les chairs, pas la vénération. La réalité que l'armée des princes terrassait n'était qu'illusion au regard de notre Royaume qui s'étendait au-delà du visible. Un Noël noir avait jailli en plein printemps, disposant une crèche où les rois mages étaient venus étrangler les mandataires de Dieu. La mort loge le feu et l'eau à la même enseigne ; ceux qui ne périssaient pas par l'arquebuse étaient noyés dans la rivière. Croissant par les bords, les larmes de la terre prenaient la forme des paysages qu'elles traversaient. Ce 15 mai 1525, j'ai vu la terre pleurer.

Je ne pus contenir l'affolement qui gagna les paysans demeurés à mes côtés. Le plus gros des effectifs se livra à une course folle à travers les pâturages et les guérets. Par leurs cris qui éclataient comme des baies sauvages, j'appris leur mort. En dépit de la défaite, ceux qui étaient restés avec moi continuaient à accorder leur arme à leur dévotion, et non leur foi à leur escopette. Dans les yeux de mes fidèles, je voyais danser des croix sur lesquelles des bouches, des oreilles étaient clouées. Un homme tailla dans un fourré un tombeau où s'emmurer, un autre s'agenouilla et ôta un jaseran de fortune pour se vêtir de prières. Tout sentait le piège, la rivière qui, serpentant dans les taillis, prenait l'aspect d'un linceul, les hautes frondaisons qui se balançaient sous le vent comme pour indiquer notre présence à l'ennemi, la lumière qui s'aiguisait en diamants prêts à nous décapiter. Couverts par le dôme des cris de nos frères, nous nous ébranlâmes, posant le pied gauche sur la vie, le pied droit sur l'espoir, berçant nos cœurs en déroute de Credo *et de* Pater *qui s'échinaient à dresser dans le ciel une échelle de Jacob. Que les vantaux de la mort pussent se refermer sur elle affolait ma troupe.*

Je ne savais pas si la camarde allait frapper par devant ou par derrière, en cercle ou en biseau, au faîte du silence ou à la faveur d'un tintamarre. J'espérais que, repue par un tel festin, elle dédaignerait les centaines d'âmes qui fuyaient ses parages. J'étais le père, la mère de tous ces hommes puisque Dieu avait été éventré. Que me restait-il à faire sinon à imaginer des tours de magie qui déjouent le traquenard, maintenant que Celui qui avait inventé la vie n'était plus ? Peut-être devrions-nous attendre la résurrection du Seigneur et dormir jusqu'à Son réveil ? La forêt nous cachait sous son aile noire de corbeau.

Nous gravîmes une côte, craignant le moment où les chevelures des arbres se raréfieraient, laissant nos têtes nues à la merci de l'adversaire. Le bas de mon corps n'était qu'injures, le haut que prières. Un sanglier surgit d'un bosquet ; sur son groin couvert d'étoiles dorées, les hommes crurent lire un présage faste. Nous ne menions plus la guerre vers sa dernière demeure, nous élevions des chants afin que Dieu revînt en Son être. Cinq à six cents, nous étions, à organiser notre fuite, à préparer l'âge de la plus grande Grâce au milieu de cette bataille où, de Dieu, nous étions orphelins. Les bottes, les galoches se chargeaient de la marche qui désertait nos pieds. Nos invocations plantées en terre donneraient naissance à une végétation fabuleuse. Qui, des absoutes, des Ave, *des* De Profundis, *engendrerait les plus belles espèces ? À ces hommes, chevaliers de la foi, anabaptistes, brigands pieux, mendiants mystiques, vrais princes de la chrétienté, qui scrutaient en mon âme l'heure de la délivrance, j'offris un prêche que je conclus par une phrase qui leur tendait un nid où se blottir, « fermez les yeux et écoutez le règne du Christ, son royaume de mille ans qui avance sa proue sur la vague du monde ».*

Nous nous repliâmes, gagnant une colline voisine avant d'entrer dans la ville de Frankenhausen où les têtes des révoltés mouraient sur le billot. Devant l'Hôtel de Ville, il n'était guère besoin de sentence pour soumettre à la décollation des centaines de prisonniers. Dans la soupente d'une maison qui sentait l'hérésie, un lansquenet me captura et me livra au landgrave *et au duc Jean. Mon ennemi de toujours, le comte Ernest von Mansfeld, me jeta dans la forteresse de Heldrungen où la torture me tint lieu de pitance.*

Alors qu'entre la décapitation et moi, il ne restait que quelques minutes, alors que ma tête s'apprêtait à rouler à leurs pieds, je haranguai les princes en leur rappelant combien, dans les Livres des Rois,

Dieu condamne les tyrans à périr dans le ventre de flammes éternelles. L'abîme ne s'étendait pas sous mes pieds ; si le destin des princes y menait, mon destin était celui de la lumière. La potence m'attendait, avec, à sa pointe extrême, le sourire par lequel Dieu m'accueillerait sur ses terres. La vocation au martyr n'est qu'une fable ; la rédemption une vérité. Je rejoignais Celui qui, par ma bouche, avait parlé aux humbles et aux opprimés. À même mon supplice sur lequel ils prendraient appui, les paysans rallumeraient le flambeau de la rébellion et marcheraient sur Rome pour jeter à bas la papauté.

Enveloppé par la grâce, je partais vers la promesse accomplie, vers le séjour en Dieu. Luther, dans l'existence à venir que je mènerai sur les berges de l'au-delà, je veillerai à te tracasser heure après heure, jour après jour, de sorte que tu ne connaisses plus de répit. Lorsque les portes du ciel s'ouvrirent, j'étais prêt.

Jusqu'à ce que ce que nous ayons saisi la détresse de chacun de nous comme une nécessité de nous libérer de l'impérialisme, comme une nécessité de lutter contre lui ; jusqu'à ce que nous ayons compris que nous n'avons rien à perdre dans la destruction du système, mais tout à gagner dans la lutte armée : la libération collective, la vie, la dignité humaine, notre identité ; que la cause du peuple, des masses, des travailleurs à la chaîne, du « lumpen-prolétariat », des prisonniers, des apprentis — des masses les plus basses ici et des mouvements de libération dans le Tiers-Monde — est notre cause. Notre cause — la lutte armée contre l'impérialisme — est celle des masses et réciproquement — même si cela ne peut devenir une réalité que dans un processus de longue haleine qui verra les offensives politico-militaires se développer et la guerre populaire éclater (...) Ce n'est pas nous, c'est lui-même que le système représente dans sa campagne de diffamation contre nous.

Ulrike Meinhof, *Déclaration pour la libération d'Andreas Baader,* au procès de Berlin-Moabit, le 13 septembre 1974.

LA FAUTE DES PÈRES, LA FOLIE DE L'ALLEMAGNE

Prison de S.S., octobre 1975.

Ce qui se passe dans nos corps est politique. Ce qui fauche une vie qui résiste, ce qui pousse un célèbre philosophe français à venir voir Andreas en pleine grève de la faim, ce qui déterre la cinquième saison que l'État a mise en bière est politique. À travers sa mort, Holger Meins a échappé au pouvoir qui nous prive de nos vies. C'est parce que l'État le tuait qu'Holger Meins a dû choisir sa mort ; c'est parce qu'il entrait dans la mort en disant « non » que le système l'a assassiné. Je me cogne à l'image de son corps emporté dans la mort le 9 novembre 1974, il y a juste un an. Je cherche dans ses yeux clos la chair qui s'est enfuie, qui a fondu au pied de ses bourreaux, je ne vois plus que sa longue barbe noire qui, seule, croissait alors que les muscles et la peau s'atrophiaient. Je cache dans ses mains jointes ma douleur et ma rage ou plutôt ma douleur-rage puisque l'une ne se distingue plus de l'autre. Après plus de cinquante jours de grève de la faim, dans la prison de Wittlich, Holger a filé entre les doigts des oppresseurs.

La presse aime les chiffres, 39 kg pour 1 m 83. La presse aime l'image du squelette d'Holger Meins entrant dans le royaume des morts, mais elle veut des cadavres dociles, pas ceux qui soulèvent des vagues de protestation d'une ville à l'autre. Ne croyez pas que la mort nous donne raison ou que nous donnions raison à la mort. Nous servir de la mort subie ou donnée pour asseoir notre cause, c'est nous enliser dans l'erreur. Ce dérapage a connu un premier visage le 10 novembre 1974 lorsqu'un commando du Mouvement du 2 juin a abattu Günther von Drenkmann, le président de la Cour suprême de Berlin-Ouest. Non, Andreas, nous n'avons pas à applaudir cette exécution. Tu pointas une incohérence dans ma logique. Je te répondrai que, *primo,* tu ne fais pas passer la ligne amis/ennemis où il faut, *secundo,* que la défense de la liberté excède les questions de logique.

Le danger qui menace ceux qui vengent la mort d'Holger et qui prendront les armes pour exiger notre libération est celui qui guette tous les révolutionnaires : finir par ressembler à l'adversaire. Il n'y avait pas 39 kg pour 1 m 83, 1 m 83 pour

39 kg, il y avait un ami dont l'œil caméra filmait les poubelles de l'Allemagne, les décharges de l'Histoire. Il n'y avait pas à doubler sa mort par celle du juge von Drenkmann, à faire passer un principe de représailles avant un homme. Il s'agit d'affaiblir ceux qui imposent la logique de l'impérialisme sans que nous soyons amoindris en retour. Prenons garde à ne pas devenir semblables à ceux que nous combattons... Même s'il est vrai qu'une même action a un sens différent selon le contexte qui la porte, ne cautionnons pas des opérations taillées dans l'étoffe de ceux qui entravent la marche des hommes. Il n'y a pas à se raidir quand l'État se durcit. Il faut retourner son jeu contre lui-même, soutirer de ses failles des feux de liberté. Anarchistes et communistes, mouvements libertaires et marxistes se disputeront notre héritage, mais là n'est pas la question. La plus sordide ironie de l'Histoire nous a rattrapés lorsque, nous entraînant dans un camp du Front Populaire de Libération de la Palestine, nous ignorions que d'anciens SS, Baurnann, Wilhelm Boerner, y servaient d'instructeurs. Infamie... Nos ennemis, ceux que nous combattions avaient été recrutés comme instructeurs... Le SS Baurnann qui participa à la liquidation du Ghetto de Varsovie, Wilhelm Boerner, ex-gardien du camp de Mauthausen, devenu Ali Ben Keshir... Et tant d'autres bourreaux de la Solution Finale recrutés

par les gouvernements, les services secrets syriens, égyptiens, convertis à l'islam, Ludwig Heiden, journaliste de l'agence antijuive *Weltdienst* traduisant *Mein Kampf* en arabe…

Si tu as, Andreas, la passion des faits pour eux-mêmes, je suis quant à moi obsédée par la signification, la charge symbolique qui prévaudra, non par les conséquences immédiates, mais par les effets à moyen et long terme. Rien de plus urgent dès lors que de déterminer si l'exécution du juge von Drenkmann ne fit pas le jeu de la droite. La révolution est comme la musique. Quand on entame un *crescendo,* il ne faut pas seulement viser le point d'arrivée, le sommet du mouvement, mais soigner les passages. Que l'on parte d'un *forte* ou que l'on néglige les gradations, et l'apogée ne se détache plus du fond. Dans une montée intensive, toutes les marches importent et de l'art des trajets dépend l'éclat du point culminant. Ceux qui quittent la ligne harmonique se dirigent vers un *finale* en forme de tombeau où les notes éventrées empêchent la musique de fluer. C'est pourquoi la révolte politique doit construire son propre langage sans se laisser contaminer par celui de l'oppresseur. La page d'Histoire que la RAF est en train d'écrire s'arrache à la nouvelle tragédie dont le *deus ex machina* est l'impérialisme américain. Nos armes ne doivent pas réciter Sophocle mais trouer la nasse du destin, immobiliser la main *yankee* qui régit nos existences. La Deuxième Guerre mondiale n'a pas eu d'Homère car les bombes se sont fichées entre les lèvres des aèdes. Le cœur du poème a été brûlé. Veillons, Andreas, à ce que la page rédigée par la RAF ne soit pas réinsérée dans le roman de honte de l'Allemagne. Une révolution politique dissociant le contenu de la forme court à sa perte. Inventer la lutte, c'est la doter d'un idiome neuf, bâtir sa grammaire, se lancer dans l'alchimie du verbe. « Donc le poète est vraiment voleur de feu. Il est chargé de l'humanité, des animaux même. Trouver une langue. Du reste, toute parole étant idée, le temps d'un langage universel viendra ! Cette langue sera de l'âme pour l'âme, résumant tout, parfums, sons, couleurs, de la pensée accrochant la pensée et tirant », merci à toi, Rimbaud.

C'est d'opter pour une forme tantôt grand guignol, tantôt d'une violence arbitraire que les interventions du Mouvement du 2 juin se décrédibilisent. Mais, de mes critiques, j'exonère l'opération réussie de février 1975 au cours de laquelle le Mouvement du 2 juin enleva le député démocrate-chrétien de Berlin Peter Lorenz et obtint en échange de sa libération celle de cinq de nos camarades. Que Horst Mahler ait refusé l'accord alors que la prise d'otage réclamait sa libération aux côtés de celles de Verena Becker, de Rolf Pohle, de Ralf Heissler, de Gabriele Kröcher-Tiedemann et d'Ingrid Siepmann montre qu'il a cessé d'être à nos côtés et qu'il a rompu avec la guérilla armée. L'État a cédé, affrétant pour nos cinq compagnons un Boeing 707 direction Aden, avec à bord le pasteur Heinrich Albertz. Tu me répondras, Andreas, que la cause fut gagnée parce que les dirigeants étaient hantés par la répétition possible du scénario von Drenkmann. Je te répondrai que la justesse, la justice des actions vient avant le critère de leur efficacité apparente.

Tu es trop terre-à-terre, Andreas. La révolution, c'est le ciel passé dans l'axe de la terre, c'est *Hänsel et Gretel,* Hans et Grete, vos noms de code à Gudrun et toi, qui traversent le miroir d'Alice, un conte de Grimm qui grimpe au mât des phrases de Joseph Conrad... Tu ne connais les barres de mesure ni en musique, ni dans l'action. Il ne s'agit pas de concevoir le futur comme l'architecte des exclus ferait sauter Versailles. Il faut sentir les endroits où le présent se craquelle et a honte de lui-même. L'an 1 de la révolution n'est pas au bout de ton sexe. N'auréole pas ton emprisonnement des guirlandes que forment les grands enfermés, ne pense pas que la trentaine d'années d'incarcération de Blanqui, les onze ans de prison de Gramsci, la mise sous les verrous des fondateurs des Brigades Rouges, Alberto Franceschini et Renato Curcio, de l'anarchiste Caserio qui descendit le président Sadi Carnot, de Kaliayev donnent une plus-value à ta mise à l'ombre. Ne te gargarise pas de compter au nombre de ces écroués. Jean-Paul Sartre est venu te rendre visite à Stammheim, mais ne t'attends pas à une mobilisation semblable à celle que connut Victor Serge lorsque, déporté en Sibérie, il fut libéré en 1936 sous la pression qu'exercèrent Trotski, André Malraux, André Gide, Romain Rolland et bien d'autres.

La révolution passe par tout, par la perception, la mémoire, la syntaxe. On ne touche pas aux rapports entre les hommes sans toucher à la langue, à la logique, à l'amour. On ne rompt pas les chaînes qui entravent nos membres sans s'inventer un nouveau corps, une nouvelle identité tout en flux et en mouvements. On ne se rallie pas au vent de la révolte sans souffler sur ce que nous étions. Maintenant que Dieu est tombé dans le fini, l'homme est devenu infini. Infini, comme ce regard que toi seul peux lancer, entre velours et métal, le tendant comme un refuge que, jamais, tu ne donnes, un regard océanique dans lequel j'ai failli me noyer. Maintenant que je suis délivrée de toi, je circule « dans le Poème de la Mer, infusé d'astres, et lactescent, dévorant les azurs verts... », merci à toi,

Rimbaud. N'oublie pas, Andreas, que cet orpailleur du langage a donné pour sous-titre à son poème *L'Idole* « Sonnet du trou du cul ». L'an 1 de la révolution n'est pas plus au bout de ton regard qu'au bout de ta verge. Junkie de toi, je ne l'ai jamais été. Tout au plus, fus-je accroc à ta danse du feu. Maintenant, je suis sevrée.

L'État de non-droit est celui qui nous juge, celui qui a révoqué nos avocats, Klaus Croissant, Hans-Christian Ströbele, Kurt Groenewold et emprisonné les deux premiers ; on n'analysera pas le régime actuel de la RFA sur la seule base de Pufendorf ou de Habermas mais à partir des délires de Spengler et de Carl Schmidt, des transes wagnériennes et des vapeurs à la Friedrich. L'absolutisme vient de plus loin, c'est dans les discours de Fichte, de Bismarck, dans les légendes teutonnes qu'il faut chercher les ancêtres du fascisme. Chaque enfant qui naît en Allemagne est l'héritier des chants prussiens. Si personne ne vient vierge au monde, ici chaque nouveau-né traîne en son sillage les messes d'une grande nation sans dehors. Il faut travailler sur la longue durée pour voir d'où proviennent les choses ; il faut longtemps contempler le soleil à l'œil nu pour le débarrasser du suaire des mythes nordiques qui le voile. Creusons la langue jusqu'à ce qu'elle touche ciel. La ruse d'Héraclès chargé de nettoyer les écuries du roi Augias ne réussirait à taire le goût du sang qui agite l'Allemagne. Ce n'est pas en faisant sortir le Rhin et l'Elbe de leurs lits que les mélodies guerrières s'évanouiront. Il faut désapprendre à hériter, secouer le legs des vieilles lunes qui compriment nos lèvres, déloger les bourreaux de soi. On ne viendra pas à bout de la terreur présente sans repérer la lignée dont elle est la descendante. Entre ton corps et lui-même, Andreas, il y a toute la folie de l'Allemagne.

Il ne fait jamais nuit à Stammheim. Sans relâche, les lumières me défoncent le crâne, ouvrent mes veines. La cellule est un œil qui, amputé de sa paupière, jamais ne se ferme. Gœthe a raison. La lumière n'est pas décomposable, elle roule sur les corps en restant une en ses voyages, elle ne bute sur rien, elle traverse tout, en jets continus, en bourrasques, comme un mouvement qui déloge l'œil de son repos. La visée de l'appareil juridico-pénitentiaire est claire : nous faire comparaître physiquement et psychiquement diminués au procès qui s'est ouvert en mai afin d'ôter toute crédibilité à notre action, afin de détruire notre image politique auprès de l'opinion publique et convaincre de ce que mon engagement dans la lutte armée ne fut que le fruit d'un déséquilibre mental consécutif à l'opération du cerveau que j'ai subie en

1962, juste après la naissance de Bettina et Regine. La pantomime que le haut tribunal de Stuttgart s'apprête à mettre en scène, il nous revient de la révéler au grand jour, Andreas.

La lumière brûle mes yeux qui s'enfoncent dans une neige secouée par le bruit des grelots, une neige dont chaque flocon est une étoile rouge ornée d'un fusil-mitrailleur. Prenant toute la place, la lumière te déloge de moi, Andreas. Afin de la contrecarrer, j'en appelle à tes yeux de nuit, perdus dans la conjugaison du désir, ce désir que tu allumes en tous là où j'ai tenté d'éveiller les consciences. Avec la fièvre du soleil, tu entres dans les gens ; avec la désinvolture du vent, tu t'en retires. Garde tes yeux de crépuscule, je n'attends plus leur venue. Je reste fiancée à cette lumière qui jamais ne meurt mais qu'en moi j'éteindrai.

Le terrorisme (...) opère par la peur des masses. La guérilla urbaine porte la peur à l'intérieur de l'appareil. Le terrorisme prend pour objet les masses. La guérilla urbaine opère à partir des failles entre l'appareil et les masses, et elle est toujours du côté des masses. Les actions de la guérilla urbaine ne sont jamais dirigées contre le peuple. Ce sont toujours des actions contre l'appareil impérialiste. La guérilla urbaine combat le terrorisme de l'État. Les actions de la guérilla urbaine excluent la projection qu'on fait du terrorisme dans la discussion sur la sécurité intérieure (...) Tout prisonnier qui, pour quelque motif que ce soit, est considéré comme criminel et qui conçoit politiquement la violence à laquelle il est soumis, tout prisonnier qui organise la résistance en prison, tout prisonnier qui combat est des nôtres. Les criminels de droit commun ne sont de toute façon pas dans les prisons — ils sont à leur tête, ce sont eux qui les remplissent (...) Les « communs », c'est-à-dire ceux qui ne possèdent rien, ces prisonniers prolétaires, ce sont tous les prisonniers, à l'exception de la paire de criminels nazis.

Déclaration commune d'Andreas Baader, Gudrun Ensslin, Ulrike Meinhof, Jan-Carl Raspe au procès de Stammheim le 6 août 1975.

Sympathisants lors des funérailles d'Andreas Baader, de Gudrun Ensslin et de Jan-Carl Raspe au Waldfriedhof à Stuttgart le 27 octobre 1977. Une tombe commune abrite les corps d'Andreas Baader, de Gudrun Ensslin et de Jan-Carl Raspe.

LA NUIT NE TOMBE PLUS SUR STAMMHEIM

Prison de S.S., novembre 1975.

Depuis l'occupation de l'ambassade d'Allemagne à Stockholm par le commando Holger Meins de la RAF, la nuit ne tombe plus sur Stammheim. Le 24 avril 1975, dans le but d'obtenir la libération de vingt-six détenus politiques dont Andreas, Gudrun, Jan-Carl et moi-même, onze fonctionnaires sont pris en otage. Une nacelle de Robinson Crusoé piégé par des vagues de feu, la mort orange et noire de l'explosion qui, provoquée accidentellement par notre camarade Ulrich Wessel, le tue sur le coup, la mort lente et minérale que l'État infligea à Siegfried Hausner, les morts inutiles de l'attaché militaire et de l'attaché économique de l'ambassade, les morts qui crépitent partout dans le monde pendant que j'écris, accrochés à mes mots qui leur offrent un tombeau... D'un côté, Mallarmé, Ravel, Guyotat, les grands maîtres des tombeaux... Une tradition française à laquelle les Allemands n'ont pas emboîté le pas. De l'autre, Matisse, Derain, Vlaminck, les Fauves mais aussi Liszt, Scriabine, les grands maîtres du feu... Tombeau pour cinq cent mille soldats, tombeau pour étoiles rouges guillotinées...

Décidé à sacrifier les otages s'il le faut, le chancelier Helmut Schmidt refuse de chanceler. La roue de la mort s'emballe, fixe les ultimatums. Les palabres entre le Premier ministre suédois Olof Palme, Helmut Schmidt et le commando Holger Meins sont rompus. La mort rappelle que la vie est un état de siège permanent, elle dicte le texte troué de fautes de syntaxe, de fautes d'orthographe puisque l'élimination des attachés Andreas von Mirbach et Heinz Hillegaart fut une erreur, puisque les morts de Wessel et Hausner furent un désastre. Rétive à toute orthographe, la mort ne négocie pas avec la grammaire. Les otages couchés au sol et disposés en cercle, les communiqués du commando qui tournoient sans se poser nulle part font sortir les heures de leur figure circulaire. L'ambassade n'est plus qu'un animal qui suppure, crevant sous ses abcès. En guise d'accouchement, ses boyaux sont projetés au-dehors au fil d'explosions en rafale. Comment Ulrich Wessel a-t-il pu déclencher par mégarde le mécanisme explosif ?

La métrique de tous les Reich, c'est pétrifier l'ennemi et pulvériser son nom, c'est le choix d'une mesure binaire pour faire tomber les opposants dans le hors-mesure. Le choix des gouvernements suédois et allemand fut la prise d'assaut, le requiem des gaz et des bombes. Adieu Ulrich Wessel, adieu Siegfried Hausner, votre mort, nous la porterons au bout de notre lutte et sans plaider pour une chaîne de martyrs, sans verser dans l'héroïsation de ceux qui ne sont plus, nous logerons votre assassinat dans nos vies, comme un pacte de non-retour, comme un cuirassé Potemkine à qui nous jurons de faire gagner la mer. Deux camarades morts, quatre survivants — Hanna Krabbe, Karl-Heinz Dellwo, Lutz Taufer, Bernhard Rössner qui furent membres du collectif des patients socialistes avant de former le commando Holger Meins…

Je récapitule l'engrenage. Jeudi 24 avril 1975, 11h30, le commando fait effraction dans le bâtiment et s'empare des membres du personnel. L'ambassade allemande à Stockholm n'est plus qu'une bouche bourrée de T.N.T. 14 h, l'attaché diplomatique, le baron Andreas von Mirbach, tombe sous les balles. 21 h, le gouvernement allemand rejette l'ultimatum, refuse de céder aux exigences, se jurant que le cas Peter Lorenz ne se produira plus. 22 h 20, l'attaché commercial Heinz Hillegaart est tué. 23 h 15, trois secrétaires sont libérées. Peu avant minuit, par une erreur de manipulation, Ulrich Wessel déclenche une explosion qui le fauche sur le coup, soufflant le toit, les fenêtres. L'ambassade est prise d'assaut par les forces de l'ordre. Peu après minuit, Stockholm se rendort sur ses morts que fouette le vent de la Baltique. Transporté vers l'Allemagne contre l'avis des médecins suédois, Siegfried Hausner, le corps rongé par les brûlures, succombera le 4 mai dans cette prison de S.S. où les murs suintent notre rage.

La guerre entre l'État et nous est consommée. La surdité de l'Allemagne ne nous a pas laissé d'autre choix. Le fascisme qui continue à tenailler notre pays comme il verrouille l'Italie et le Japon oblige à la lutte armée. C'est dans la sphère publique, dans le règne du capital et son colonialisme, son patriarcat, au creux du travail, du langage, de la culture, de l'inconscient qu'il faut extirper le nazisme. En juillet 1963, le Mouvement de Libération Nationale-Tupamaros fut fondé en Uruguay, en octobre 1966, le Black Panther Party vit le jour aux États-Unis, mai 1964 vit la naissance de l'OLP, décembre 1966 celle de l'Opposition extra-parlementaire en RFA, février 1968, celle de l'ALN, le mouvement de guérilla créé par Carlos Marighela et Joaquim Ferreira. Mai 1970 signa la naissance de la RAF, septembre 1970 la fondation des Brigades Rouges, février 1971 l'émergence de l'Armée rouge japonaise...

Puisque l'on n'écoute pas nos mots, on écoutera nos armes, on prêtera attention à leur langage provisoire, à leurs météores de lave. Nos bombes parlent mieux que vos bouches fangeuses. Même si nous périssons, même si, pressé de nous réduire à une légion de cadavres, l'État commanditait nos meurtres, nous aurons changé l'Allemagne, l'obligeant à regarder en face son passé nazi, son présent post-nazi, son allégeance aux guerres impérialistes de l'Amérique. Quand, sur le miroir du ciel, la boue de la terre étouffe les étoiles, la terre doit être labourée en profondeur. Dans quelques décennies, on ne retiendra de nous que le recours à la terreur alors que nous aurons poussé l'Allemagne à une prise de conscience et l'aurons ouverte à une autre politique. La ligne ténue qui sépare la guérilla de la terreur est franchie lorsque la violence s'exerce directement sur des civils innocents et devient de même nature que celle produite par l'État. Le comble de l'imposture est atteinte lorsque les médias placent sur le même plan nos actes et le terrorisme aveugle de l'extrême droite.

Au milieu de ces convictions, une vigilance s'impose car certains des carrefours sanglants au milieu desquels la révolution est parfois tentée ou contrainte de s'installer peuvent l'éloigner de sa visée. Le pire danger pour nous est d'endosser le rôle de Parsifal venu pour guérir la plaie d'Amfortas. L'Allemagne n'est pas ce château de Montsalvat qui, encerclé par la brume, pourrit sur pied, mais bien le monstre marin biblique, ce Léviathan qui vide les mers de la vie ; elle n'est pas le roi Amfortas mais le magicien noir, Klingsor, l'eunuque qui embroche le soleil. Premier point de notre manifeste : nous tenir à distance de Wagner, de ses chants de rédemption afin de laisser la tentation de Parsifal le Très Pur au placard.

Non, Rosa Luxemburg, ce n'est pas le socialisme ou la barbarie, non, commando Holger Meins, ce n'est pas la victoire ou la mort. C'est la vie libre à l'endroit même où on pense l'écraser, c'est le visage comme un soleil qui déchiquette la botte qui le piétine, c'est le jour qui tend sur les nuits de la honte la révolution comme chef d'œuvre collectif. Les cris de Stammheim et ceux des insurgés du dehors forment une même tapisserie. La force des cris est de n'être jamais détruits par le feu. La nuit ne tombe plus sur Stammheim depuis le grand brasier de Stockholm.

Je compte les heures nerveuses qui défilent à l'intérieur de mon corps, les confronte aux heures nues et blanches du dehors. Je retrouve la lettre du 16 décembre 1974, écrite par l'ancien président de la RFA, Gustav Heinemann, qui m'enjoignait ainsi qu'à mes amis de mettre un terme à la grève de la faim, je songe alors au *Champion de jeûne* et vois Holger Meins grimper dans le texte de Kafka, si léger qu'il ne bouscule aucune phrase. C'est fou combien l'Allemagne a la manie de s'empiffrer de mots grandioses, d'idéaux de chevalerie, de *Lieder* du terroir où les voix des anges sont écrites par des apprentis faustiens... Je compte les heures qui ne s'écoulent qu'en moi, je m'apprête à réécrire le *Livre d'heures* de Rilke, exposant mes mots à la clepsydre, ne retenant que ceux qui, jamais, ne se noient. Le calendrier de la Révolution française est passé aux oubliettes de l'Histoire. Pourtant les noms agraires que forgea Fabre d'Églantine pour consacrer l'entrée dans un nouveau temps étaient beaux — brumaire, messidor, ventôse, germinal...

Qui veut dominer le monde entend faire main basse sur le temps en fixant les étalons de durée. Comprenant que, sans une division précise du temps, il n'y aurait pas d'addition d'espaces qui configure l'Empire, Jules César imposa le calendrier julien. Soucieux de faire de la chrétienté le seul soleil qui se lève sur le monde, le pape Grégoire XII réduisit l'année moyenne de 365,25 jours à 365,2425 jours.

Moi, je compte les heures pointues qui déchirent mon ventre, les heures rondes qui s'enroulent autour de mes chevilles. « La langue des choses muettes » recherchée par Hofmannsthal, les mots mis en croix, le rêve d'étreindre ce qui est sans passer par le langage, c'est l'abîme, l'effritement du monde, la chambre où, accueilli par le menuisier Ernst Zimmer, Scardanelli-Hölderlin tourne entre les non-langues. Pour archiver les heures, je dois me tenir à l'écart de la mélancolie d'Hofmannsthal, écarter le jeûne poétique de Lord Chandos, arrimer mes phrases aux convulsions du monde. À soupçonner les mots de tuer le vécu et la pâte des choses, on se trompe de danger. Le péril vient d'un monde qui prétend se dire lui-même, d'un congédiement des textes au profit d'un alphabet de la matière. Je hais cette blancheur silencieuse, cette pluie de lumières qui me trempe jusqu'aux os. La nuit ne tombe plus sur Stammheim depuis le grand brasier de Stockholm.

Dans les mois à venir, nos forces resserreront leurs alliances avec les groupes révolutionnaires du Moyen-Orient. L'axe de la guerre qui passe par Washington et Bonn n'aura plus les coudées franches. 1965 connut les premières manifestations contre la guerre du Vietnam ; 1967, la création de la Kommune I puis II à Berlin ; 1968 le mouvement étudiant ; 1970 la naissance de la

Fraction Armée Rouge ; 1972 les attentats contre des bases américaines. Les années à venir orchestreront le renversement de la terreur d'État. Nous déposerons les armes quand les dirigeants enterreront les leurs. Quand la justice descendra dans la rue, quand la paix sera plus forte que la géo-politique militaire, nos bombes se tairont. Puisque nous n'appartenons à rien, seule la liberté nous appartient. Pour l'heure, Stammheim est un radeau encalminé, mais, sous peu, nos frères le feront filer sur des vagues qu'aucune répression ne pourra dompter. Puisqu'il n'y a pas d'oppression sans oppresseurs, c'est en écrasant ses incarnations qu'on viendra à bout de l'idée.

C'est une fiction de dire que le but d'une organisation révolutionnaire est de commettre des actes répréhensibles. L'organisation révolutionnaire n'est pas justiciable, et son but — nous disons : sa fin et ses moyens — ne peut être saisi dans les catégories mortes telles que le Code pénal les met à la disposition de l'autocompréhension anhistorique de la bourgeoisie (...) Toute la construction de l'Accusation, avec ses fictions, montre seulement dans quelle mesure la superstructure impérialiste a perdu le rapport avec sa base, la relation avec tout ce qui est vie et histoire. Elle montre la rigueur de la contradiction dans la rupture entre la société et l'État (...) L'organisation révolutionnaire n'est naturellement un crime politique qu'aussi longtemps que l'ordre ancien, celui de la propriété bourgeoise des moyens de production, qui fait de nous des criminels, n'a pas été remplacé par le nouvel ordre, celui de l'approbation, par la société, de la production sociale. Le droit, aussi longtemps qu'il y aura des classes et la domination de l'homme sur l'homme — est une question de force.

Andreas Baader, Gudrun Ensslin, Ulrike Meinhof, Jan-Carl Raspe, Déclaration commune au procès de Stammheim du 19 août 1975.

J'AIMERAIS REVOIR L'ÎLE DE SYLT

Prison de S.S., décembre 1975.

J'ai fait un rêve où les couleurs mouraient une à une, d'abord le bleu et le vert, ensuite le jaune et l'orange, avalées par le dieu des pigments, se fondant dans une nuit taillée au couteau. J'eus peur pour tes voyelles aux teintes précises, Rimbaud, j'eus peur pour tes mots que des hommes s'apprêtaient à jeter dans des hauts fourneaux de haine. Continuant sa marche à l'ombre de l'Amérique, l'Allemagne entrait dans des années qu'Andreas, Gudrun, Jan-Carl et moi ne pouvions plus franchir, dès lors qu'on nous avait éliminés. Je voyais seulement les formes puisque, à l'exception du rouge, les couleurs s'étaient évanouies. Davantage que la fuite des tons, c'est la symphonie des balles perdues qui m'alarmait. En Afrique, au Moyen-Orient, en Amérique du Sud, je les entendais dévaler des collines de sable, rouler dans des oueds malades, finir leur course dans des prunelles d'enfants décharnés.

Oui, Joyce, l'Histoire est un cauchemar dont il faut nous réveiller avant que le soleil n'ait la joue gauche arrachée. Pas plus que d'un prince Mychkine, l'époque n'a besoin d'un Raskolnikov ou d'un Ivan Karamazov. Perdu dans ses fumigations religieuses, Dostoïevski n'a rien compris ni à Netchaïev ni à l'épopée révolutionnaire qui embrasait la Russie. Dans les derniers cercles des balles perdues, sur des orbites qui auraient dû rester vides, j'entendais les crépitements de ceux qui insufflaient à la RAF la vie que Gudrun, Andreas et moi n'avions plus. Maculant notre cause, ceux et celles qui prolongeaient nos luttes semaient des morts innocents. Les gestes de nos héritiers n'étaient plus que le miroir de ceux qu'ils combattaient.

Dans mon rêve, je hurlais à nos épigones que le langage des armes ne peut pas tout, que des cibles physiques détournent de la cible idéologique, mais ils ne m'entendaient pas. Prises d'otages, exécutions de hauts dignitaires militaires et financiers, commandos bardés d'idées rigides et d'explosifs souples, paroles de lutte minéralisées, justiciers version boy-scouts experts en cocktails meurtriers... un avenir de cauchemar se découpait avec précision. La voix de Renate Riemeck me soufflait : « Ulrike, ne t'avais-je dit de prendre garde aux effets pervers, aux dérapages, à l'altération de tes objectifs par ceux qui penseront les servir ? ». Je répondais à Renate qu'on ne peut se prémunir contre les lectures qu'on fera de nous, qu'entre l'arbre et le fruit tout peut se passer, le frêne nazi ayant bien kidnappé la sève nietzschéenne. Je criais à mes continuateurs qui ne continuaient rien qu'il ne s'agit pas de faire tomber les têtes dirigeantes alors que les structures restent en place, que l'éclat symbolique recherché laisse intactes les conditions de vie des opprimés. Il ne m'appartient pas de désavouer nos disciples, de retirer les grenades qui encombrent leurs mains. Mais j'aurais voulu leur dire que l'étymologie du présent importe autant que celle de la langue. J'aurais aimé leur crier que leurs bombes filant comme des comètes folles ne feront pas se lever le printemps rouge.

À mon réveil, je pleure sur le corps de Pasolini retrouvé sans vie en bordure d'une plage d'Ostie il y a un mois. Le 1er novembre 1975, une nation a mis son poète à mort, plongeant le couteau dans la gorge de celui qui fit parler le peuple, la terre du Frioul, le communisme, Antonio Gramsci, Maria Callas et les *ragazzi*.

J'aimerais revoir l'île de Sylt à l'heure où s'ouvre le bal des amours. J'aimerais que le vent souffle les prénoms des camarades morts. J'aimerais voir *Salò ou les cent vingt journées de Sodome*, revoir *Médée, Théorème*, le vol des goélands, les châteaux de dunes que l'île de Sylt façonnait au gré des caprices du dieu

Éole. Quelle sera l'ombre du xxe ? Dessinera-t-elle un ossuaire ou une écriture de bombes ? J'aimerais retrouver la petite barque à la coque fière qui fendait les flots. À marée basse, je ramassais les passagers clandestins déposés par la mer et, avec ma seule mélancolie comme boussole, quittant le présent, traversant l'Histoire, je regagnais le porche des premiers siècles, l'oreille collée à un coquillage. D'entendre le bruit du temps, je me délivrais des hurlements du IIIe Reich. Petite, je sortais si vite de moi que nul ne pouvait me rattraper au-dehors. Je gardai vive cette aptitude à bondir hors de mon prénom, hors de mon âge, à rejoindre un héros de Hermann Hesse, Harry Haller, Demian le plus souvent, Siddharta parfois. Je vivais dans des livres qui communiquaient à mes idées la vélocité de la foudre ; je me jetais du haut d'une page, m'asseyant sur la première phrase comme s'il se fût agi d'un trône. Les livres démentaient la mort de ma mère, celle de mon père, offrant à mes parents défunts des palais de mots où résider. Anxieuse, j'écoutais la joie de ma mère d'être accueillie chez Hölderlin, mais doutais que mon père se sentît à l'aise chez Thomas Mann. Par mes lectures, je réécrivais tout, la souffrance, la colère, les pertes, les effrois. Les auteurs qui n'accueillent aucun mort ne valent pas la peine d'être lus.

Mes larmes mêlent la mort de Pasolini à celle de notre camarade Katarina Hammerschmidt que l'État a laissé crever. J'aimerais revoir Katarina, lui ôter la tumeur qui, obstruant sa gorge, l'empêchait de respirer ; je voudrais plonger le corps inerte de Katarina dans le gosier des juges, dans le larynx de Theodor Prinzing, président de la Cour de Stuttgart-Stammheim. « Rien chronique » avait diagnostiqué le médecin de la prison alors qu'une excroissance de la taille d'une tête d'enfant enflammait sa trachée... *Neues Polizeigesetz*... Les lois d'exception autorisent de tuer tous les opposants à l'État ; les porcs du système ont droit de vie et de mort sur les suspects et assaisonnent le tout d'une nouvelle mesure, *Berufsverbot*, l'interdiction professionnelle qui frappe les sympathisants. Au nom de Petra Schelm, Georges von Rauch, Thomas Weisbecker, Holger Meins, Ulrich Wessel, Siegfried Hausner, Werner Sauber, Katarina Hammerschmidt..., j'accuse de meurtres le B.K.A., à savoir l'Office fédéral de la police criminelle et son président Horst Herold, j'accuse de meurtres les policiers, le procureur Theodor Prinzing, le procureur Siegfried Buback, les services secrets de la *Verfassungsschutz*, le personnel médical des prisons. À l'intérieur des cris de nuit poussés par Katarina s'avance, très droite et haute, une silhouette encore indistincte qui brandit le poing de la victoire.

Quels livres accueilleront nos morts là où Hölderlin et Thomas Mann abritèrent ma mère et mon père ?

Sur l'île de Sylt, lorsque pluie et soleil se disputaient le ciel, une teinte rose recouvrait les vagues. J'aimerais revoir l'aube monter de la mer. L'aurore à Sylt, c'était une averse de neige venue du grand nord dans la langue de Kleist. Un seul espoir me portait : que les hommes soient traversés par semblable lever du monde, que rien n'endigue le bal du grand réveil, que l'Histoire accomplisse une fois pour toutes ce que la nature rejouait chaque jour. Quand l'aube atteignait les premières dunes, les bois qui leur faisaient face dormaient encore. Une conviction m'animait. L'aube advenait à Sylt avec une douceur que l'Histoire ne connaîtrait jamais.

Les poèmes du vent, les épopées de la neige ne traversent pas la forteresse néo-fasciste de Stammheim, mais, d'un bout à l'autre de ce septième étage, sur les murs de la mort, sur nos corps en vie, nous écrivons cette aube qui émancipera le monde. Le passé nazi est si proche qu'on parviendra à lui tordre le cou et demain est déjà là, dans la main qui accomplit à contre-cœur ce que le réel réclame pour que l'aube frappe à la porte des opprimés. Il ne nous est pas encore permis de ne pas tuer, écrivait Bertolt

Brecht. Ne pas agir, laisser faire, c'eût été commettre le crime irréparable. Pour ne pas être complices de la terreur impérialiste, nous avons à la prendre d'assaut. La lutte armée est la réponse de ceux qui refusent que la liberté finisse en sable dans des urnes. La lutte armée est la réponse de l'aube au crépuscule, la langue des étoiles rouges contre la bannière constellée de dollars.

Trotski, Zapata, Allende, Che Guevara, Lumumba, Gandhi, Martin Luther King… La liste des assassinés est longue, mais la RAF brisera la main qui, au bas de cette page sans fin, appose sa sanglante signature. Le général Franco vient de mourir, l'Espagne respire enfin ; merci à vous, combattants de l'ETA, d'avoir en décembre 1973 supprimé Luis Carrero Blanco, Premier ministre et bras-droit du caudillo. Le « lait noir de l'aube » sera scellé dans les gorges de ceux qui l'épandent, je te le promets, Paul Celan. Même sous terre, les tortionnaires ne seront plus en sécurité. Nelson Mandela, toi qui croupis depuis 1962 dans les geôles sud-africaines, nos frères s'activent à ta libération. Le soir avance de profil, tête basse, rasant le corps du jour.

Je relis la lettre que sœur Maria Ambrosine m'a envoyée, elle qui, plus qu'un professeur, fut la femme qui m'a appris le monde, le courage, la résistance. Je ferai monter mes mots vers elle plus vite que ne monte le soir. Je revois notre logement Ackerstraße lors de notre retour à Oldenbourg en 1946, l'école Sainte-Cécile, l'effervescence conceptuelle que me procuraient les cours de sœur Maria Ambrosine. Les premières mesures des *Noces de Figaro* que diffuse la radio réveillent mon adolescence, ranimant la joie qui fut la mienne lorsque mes grands-parents m'offrirent la partition de cette lutte des classes annonçant 1789. Sur la nuque raide du soir, la lune vient de se poser.

La mémoire m'ouvre son chantier en déroute, ramenant le bal de mes premières amours, Thomas Lenk, Werner Link, Lothar Wallek et, par-dessus tout, Maria. Maria qui m'invita dans sa beauté de feu, Maria, mon amante, auprès de qui je réinventai mon corps, la passion, le monde, la lumière. Nous nous enivrions l'une de l'autre, congédiant du quotidien ce qui minait notre envol. Sur les lèvres de la nostalgie, je pose les miennes, captive d'un passé qui convoque Maria au centre de mon désert. Contemplant mes mains qui n'étreignent plus que des mots, je rêve aux étoiles entre rouge et violet que Maria tatouait sur ma peau en fête.

La résistance, c'est la continuité dans l'histoire de l'opposition intérieure en République fédérale depuis 1945, depuis l'opposition contre la restauration, contre l'intégration à l'Ouest, contre les lois d'urgence, contre l'agression américaine au Vietnam, jusqu'à la lutte armée de la guérilla urbaine contre l'État impérialiste (...) La résistance, c'est la référence aux valeurs de la Révolution française, donc de la démocratie bourgeoise dans son contenu humanitaire, comme attente de rapports humains libérés de toute domination, comme limite dont le franchissement signifie l'inhumain et ne saurait être toléré/supporté. Pour la résistance, ces valeurs, en dernière instance leur réalisation sociale par la révolution — sont l'instance qui oppose une limite à l'action de l'État ; qui détermine la limite au-delà de laquelle l'action de l'État devient illégitime (...) L'histoire du droit de résistance indique sur le plan de la superstructure, la rupture entre la société et l'État (...) La résistance, quelle que soit la forme qu'elle ait prise, réussie ou larvée, est le sillage d'où naît la résistance armée (...) Le mouvement de protestation contre la construction de la centrale nucléaire de Whyl a montré par exemple que c'est l'État du monopole international qui se place au-dessus des valeurs et déclare illégale la référence à ces valeurs par rapport à ses critères.

Déclaration commune d'Andreas Baader, Gudrun Ensslin, Ulrike Meinhof, Jan-Carl Raspe au procès de Stammheim le 21 août 1975.

Andreas Baader.

« J'ÉTAIS, JE SUIS, JE SERAI » (I)

Prison de Stuttgart-Stammheim, janvier 1976.

Stammheim est un congénère de Moby Dick qui nous tient prisonniers dans son ventre. Malhabile, l'animal a échoué sur des terres que n'éclabousse aucune vague, mais soucieux de nous plonger dans des jours sans nuit, il épand sur nos têtes une symphonie blanche qui détruit les contours des personnes, les séparations entre les choses, si bien que la rage de Gudrun s'enfonce dans ma bouche et que le sourire d'Andreas se retrouve sur le front de Jan-Carl.

Gudrun, tu m'en veux pour tout, tu m'accuses de mettre la RAF en péril. Dressant l'enclume contre le marteau, tu oublies qu'ils ne vivent que l'un par l'autre. Tu as toujours été droite en ta violence, mais prends garde à n'être tordue en tes cibles. Tes pensées vont si vite que ton corps se perd en chemin. Ton visage buté est prêt à mordre le siècle mais ce n'est pas en mélangeant Marcuse à *Finnegans wake* que tu vas changer le monde. Tu as trop lu Hans Henny Jahnn, trop longtemps convoqué son *Médée* à ta table. Assoiffées de celles d'Andreas, tes lèvres ne discernent plus le nectar du poison. Le système a réussi ce qu'il voulait, semer la zizanie entre nous, nous diviser afin que notre cohésion vole en éclats. Ton esprit a la froideur des pierres qui crachent à la face du soleil, ta pâleur sent la soutane empesée.

La différence entre toi et moi, c'est que tu n'as jamais été troublée par une phrase d'Albert Camus qui m'a obsédée, devant laquelle je me suis inclinée avant de la contester, la trouvant juste côté lumière, fausse côté ombre. Je parle de ces quelques mots qui font taire tous les discours et font hésiter les bombes, de cette petite phrase si simple, si terrestre que prononce le commissaire Skouratov. Je te rappelle la cascade des deux répliques, le jeune Kaliayev lançant : « ce n'est pas le grand-duc que je tue. Je tue le despotisme ; j'ai lancé la bombe sur votre tyrannie, non sur un homme » ; Skouratov rétorquant : « sans doute. Mais c'est l'homme qui a reçu la bombe ». Tout est là, Gudrun. Même si nous devons faire ce que Kaliayev a fait, la réplique de Skouratov doit tapisser le fond de notre conscience. C'est parce qu'un homme est plus qu'un homme et porte à bout de bras la tyrannie qu'il doit mourir. Nous ne le faisons pas mourir en tant qu'homme, mais en tant que semeur de l'oppression. Lorsque tu désapprouvas le commando Septembre noir, je pense avec le recul que ce ne fut pas au nom de la justice et de la vie, mais au fil d'un bilan comptable où n'entraient en compte que des questions de stratégie. Tu aimes geler les idées, Gudrun et, lorsque vient immanquablement le temps du dégel, tu t'étonnes de les entendre fondre une à une, s'égouttant à un rythme de plus en plus rapide, constellant la neige poudreuse de flaques grises et aveugles. Si tu faisais voyager tes pensées dans ton corps, tu garderais, tapie au fond de la bouche, la phrase sans grandeur, presque triviale, de Skouratov « mais c'est l'homme qui a reçu la bombe ». Rappelle-toi les animaux de Zarathoustra, Gudrun, l'aigle qui plane doit avoir auprès de lui le serpent qui rampe. Et, surtout, relis *Les Justes*.

Un coup de tonnerre vient de percuter le ventre de la baleine où on nous fait crever. Le 22 décembre 1975, les plus hauts dignitaires de l'OPEP ont été pris en otage à Vienne par Carlos et des membres des Cellules révolutionnaires. Parmi les rois du pétrole, le commando sélectionna les dirigeants hostiles aux Palestiniens et les embarqua à bord d'un avion en direction d'Alger. Traversant les cieux saharien, mésopotamien, libyen, l'avion relâcha ses otages au cours d'un étrange périple qui présentait davantage les traits d'une errance que d'une stratégie implacable. Preuve en est la modification des objectifs au cours de l'opération si bien que l'exécution prévue de certains dirigeants de l'OPEP n'a pas eu lieu. Cette virée dans les airs sans revendication immédiate visait-elle seulement à démontrer la force détenue par le Front Populaire de Libération de la Palestine ? Anis Naccache, chargé de superviser l'opération, a-t-il été doublé ? Pourquoi Gabriele Kröcher-Tiedemann s'est-elle laissée aller à des tirs hystériques, à des pétarades sauvages qui fauchèrent deux fonctionnaires ? Pourquoi Wadie Haddad n'a-t-il pas voulu comprendre qu'il servait des causes aux antipodes de la sienne ? Pourquoi Hans Joachim Klein et Gabriele ont-ils cru diriger une pièce dont ils étaient les marionnettes ? Un pommier qui dépose ses fruits dans un mancenillier verra sa récolte fauchée par ce dernier. Je hais les stratégies géo-politiques où chacun se sert de l'autre en faisant croire à une communauté des desseins. Que les actes révolutionnaires soient récupérés, mis au service de manœuvres contre-révolutionnaires, voilà le plus grand danger, l'absolu du jeu qui tourne à la farce.

Que nos actions ne soient pas lisibles par l'opinion publique est dommageable, qu'elles soient illisibles pour ceux qui les portent à bout de bras est une faute irréparable. Telle fut, à mes yeux, cette prise d'otages longue et chantournée, opaque pour les ennemis comme pour nos frères, aussi tournoyante que les vols du DC-9 dans les cieux d'Afrique du Nord et d'Irak. Tous les hélianthes se tournent vers le soleil mais sans pour autant voir le même astre ; il n'est pas rare que, victimes d'une altération des sens, certains topinambours confondent soleil et lune. Ilitch Ramirez Sanchez, alias Carlos, dit « le Chacal », l'homme qui organisa à Marseille en 1973 la seconde réunion internationale des groupes révolutionnaires où la RAF, l'Armée rouge japonaise, les Tupamaros d'Uruguay, les Brigades rouges, l'ETA et le FPLP mirent au point une stratégie d'ensemble, n'est plus qu'un mercenaire qui frappe à l'aveugle. Depuis les attentats contre des civils à Paris lors de l'été 1974, il erre dans ses contradictions avec la rage d'un boxeur dément. Son seul alibi ? La formule « nous sommes les fils des territoires occupés ».

Répudiant la parodie de justice qui nous tient lieu de procès, récusant un tribunal qui bafoue les droits de la défense, nous avons lors de la dernière audience lancé une offensive orale sans précédent. Notre but ? Que leurs mots qui suintent le mensonge soient démasqués, que l'illégitimité qui frappe un pouvoir s'étant abstenu de toute dénazification et servant l'impérialisme américain devienne criante, que les hommes prennent leur avenir en main au lieu de le voir confisqué par les nouveaux seigneurs de la guerre. Mais, en arrière des phrases que je lançais à la tête de cette Cour martiale, je déroulais pour moi seule une fresque tragique, composant la balade des spartakistes que, d'ici peu, j'égrènerai devant ces juges, ces grands amnésiques qui font coulisser le passé de la honte sur les rails du présent. Ce n'est pas à la défaite de la gauche que les Corps Francs et ensuite le nazisme ont œuvré, c'est à son assassinat, à l'extermination de l'homme qui pense et vit à hauteur des étoiles…

Même si, pas plus que Lénine, Blanqui ou les populistes russes, je n'ai cru à un mouvement insurrectionnel qui viendrait du peuple, je convoquerai celle qui a œuvré à la fondation du Parti communiste allemand, celle qui a mené la lutte dans l'œil de la révolution et qui repose aux côtés de Karl Liebknecht au Friedrichsfelde à Berlin. À la prochaine audience, aux juges qui me feront face, je dirai « aujourd'hui, le monde se lève pour les masses » et je ferai venir Rosa Luxemburg à la barre. Mais avant que ses phrases aussi amples que précises n'emplissent le prétoire, je ferai claquer le verbe écorché, rugueux, disloqué d'un poète mis à mort par ceux qui nous condamnent aujourd'hui, par ceux qui, de tout temps, condamnent les hommes « aux semelles de vent », bâillonnant le survivant qui parle à l'envers de la langue. Que le silence dans lequel on fait tomber l'Histoire soit levé par cette gerbe constellée signée Paul Celan... Merci à toi, Paul Celan, d'avoir aiguisé tes mots sur les mains des assassins de Rosa Luxemburg et de Karl Liebknecht...

TU GIS dans la grande écoute,
entouré de broussaille, de flocons.

Va donc toi à la Spree, va à la Havel,
va voir les crocs des bouchers,
et les broches rouges garnies de pommes
de Suède —

voici venir la grand'table aux cadeaux,
elle fait le tour d'un Éden —

L'homme ne fut plus qu'une passoire, la femme
il fallut qu'elle nage, la salope,
pour elle, pour personne, pour tout le monde

Le canal de la Landwehr ne fera pas de bruit
Rien
ne se bloque.

Der Landwehrkanal wird nicht rauschen.
Nichts
stockt.

Quand je repense à la ville de Zamosc où je suis née le 5 mars 1871, à Varsovie où nous déménageâmes, je vois les maisons couleur fumée et les champs piquetés d'un jaune virant vers l'or se lever comme un seul homme. De la terre en apparence immobile, presque idiote de torpeur, du ciel qui enfonçait son chapeau sur nos têtes montait un roulement de timbale, à mi-chemin du refus et de la révolution, un mouvement que rien ne pouvait arrêter et qu'aucune lumière supérieure ne devait encadrer. Rien n'est plus vigilant, alerte, avisé que les masses, c'est ce que Lénine n'a jamais compris, lui qui étouffe la spontanéité du peuple sous le joug d'un parti organisé, lui qui, le croyant acéphale, dote d'une tête instruite le grand corps populaire acquis à la rébellion. L'avant-garde agissante, détentrice du monopole des décisions et des orientations, est un concept qui vaut en esthétique, non en politique. Nul n'a à voler au peuple le droit d'ériger lui-même la dictature du prolétariat. Croire à la figure du chef d'orchestre, c'est voir dans les masses des enfants peu fiables dont on doit diriger les gestes, c'est substituer à la démocratie directe la chimère d'une médiation et oublier que les masses sans le parti sont tout alors que le parti sans les masses n'est rien. Il est obscène d'apprendre la vie à ceux qui en sont dépossédés.

Les pays que j'ai traversés étaient souvent, en droit, prêts pour la révolution sans l'être dans les faits. Mais, à un rapport de forces défavorable, aucune avant-garde bardée de doctrines et de discipline ne pourra pallier. C'est seulement si elles avancent en questionnant leurs défaites passées que les forces révolutionnaires pourront sauter par-delà les frontières, au-dessus des rivières et des tombes. Le roc inexpugnable du cogito révolutionnaire, ce sont les masses et non la conscience acérée des cadres. Le Malin Génie, c'est la peur qui s'empare des pensées et des actes. Si l'on ne voit pas d'où vient le changement, d'où jaillit la création d'un nouveau monde, on laisse les coudées franches aux partisans de l'ordre sanglant.

Dans mes derniers tableaux, une série d'autoportraits, j'ai fait en sorte que la lutte populaire tienne le pinceau et colore l'Histoire dans le sens de la justice. Vingt fois trébuchants, nous serons victorieux la vingt-et-unième ; vingt fois défaits, nous ferons de nos échecs les échelons de notre succès final… Rien n'est plus proche de la sablonnière que l'ordre instauré par les puissants. Voilà pourquoi la révolution déferlera sur le corps des oppresseurs au moment où les lèvres du peuple libéreront une phrase que nul ne pourra tuer : « j'étais, je suis, je serai ». La ligue spartakiste, les grèves dans les usines, les soulèvements des marins, des conseils d'ouvriers et de soldats ont mis à bas l'Empire et proclamé la République. Ni la contre-révolution sous la conduite des Corps Francs, ni les massacres des insurgés par l'armée ne réduiront notre mouvement au silence. « J'étais, je suis, je serai », six mots pour ouvrir le dictionnaire de nos vies par la lettre R de la révolution.

Deux images encadrent mon enfance. La première est celle de ma jambe qui, alerte jusqu'à l'âge de cinq ans, se mit bientôt à claudiquer, butant sur la vie à contretemps, sans plus jamais connaître l'unisson avec la jambe valide. La seconde est celle du pogrom qui éclata à Varsovie le jour de Noël 1881 dans un bruit d'orage trop longtemps contenu, mêlant les pillages des magasins aux crépitements désordonnées des meurtres, tordant les bouches dans une haine fertile et grasse qui culminait dans le cri « À bas les Juifs ». Une troisième image vient d'une région que je n'ai plus quittée, une zone où le mythe est entré dans l'Histoire, où toutes les vies des opprimés n'en forment plus qu'une. Alors que j'entamais ma onzième année, Sophie Perovskaïa, Jeliabov et leurs camarades ouvrirent la Russie à la liberté en assassinant le tsar Alexandre II. Alors que Varsovie couvait ses pogroms, les corps des émancipateurs pendaient au vent, indifférents à la dernière revanche d'un passé qui n'appartenait plus à l'Histoire.

Aujourd'hui que la contre-révolution fait rage, une même foule excitée par les Corps Francs m'enveloppe de cette haine sans âge ni frontière, une haine froide et compacte qui en appelle au meurtre de Rosa-la-Rouge, Rosa la Juive, Rosa la bolchevique, accusée d'avoir, par son appel au pacifisme, orchestré la défaite allemande. Pourtant, quand la société se soulève, nul ne peut la bâter pour la remettre à quatre pattes. La révolution a la taille des rêves qui la guident, la force de ceux qui, à partir d'elle, se donnent leur authentique naissance. Les cavaliers qui tirent sur le mors de leur monture font partie de ces espèces que le nouveau soleil balaiera. La barque de l'Histoire les a déjà balancés par-dessus bord. Une armée de cyclopes ne peut rien contre ceux qui ont des yeux de feu au bout de leurs souffrances.

« J'ÉTAIS, JE SUIS, JE SERAI » (II)

Du scarabée à l'homme, des larmes d'un buffle à celles d'un enfant, une même vie court, à la recherche de ce qu'elle n'est pas encore, semblable dans la mousse, chez l'araignée tisserande, chez le nouveau-né. J'étends mon regard vers demain, incitant mes pupilles à avaler ce que ma gorge ne peut plus ingurgiter. Dans les sépulcres que Noske nous réserve, se promettant d'y enfouir Karl Liebknecht, Leo Jogisches, moi-même et tant d'autres, il y aura bien peu de place pour la mort. Trop larges, trop rapides, nos idées ne tiennent dans aucun caveau. Notre journal, Die Rote Fahne, *connaît ses dernières heures. Nos têtes sont mises à prix. 100.000* Marks *pour qui nous capturera au faîte de la mort si possible. 100.000* Marks *pour vider nos veines alors que la révolution tient la barre du destin... Dans l'espace de mes phrases, d'autres écriront l'épopée de la république libre. Spartakus mis en croix n'aura pas besoin de renaître puisque la mort ne peut le frapper. Qui noiera les ennemis de la liberté dans la houle formée par des millions de « j'étais, je suis, je serai » sera le fils, la fille de la révolution.*

Dans les mille et un plis formés par l'étoffe du présent, il faut détecter les déchirures, la trame qui cède sous l'usure, les parements qui étouffent le grand envol. En prenant l'Histoire par le cou, on la dirige vers les orgues du monde libre, en faisant du pédalier une monture blanche. Que les adversaires du peuple chauvissent leurs oreilles... Nos chants de victoire approchent à grands pas, avec l'allure éclatante de qui, ayant engrangé défaite sur défaite, s'apprête à réduire à rien les dieux du capital. La rose rouge est à la faucille ce que l'incomparable botanique de Marx est à la science historique de demain. Même morts, nous ne tiendrons guère en place et rejoindrons les hommes qui, sans se laisser distraire par leur ombre, courent vers l'Homme. En ce début d'année 1919, tous les espoirs restent possibles, y compris, ceux du désespoir. Que tout refuge que nous trouvions devienne un piège, qu'il n'y ait aucun arbre, aucun banc, aucun grenier à Berlin qui ne dénonce notre présence, tel est le vœu que formulent les commanditaires de la chasse à l'homme qu'on a ouverte contre nous.

Pour bâillonner mes exhortations au pacifisme, on m'emprisonna de février 1915 à février 1916, puis de juillet de cette même année au mois de novembre 1918 où la révolution me libéra, si bien que c'est au sein des murs de la prison que je vécus cette deuxième prison — la guerre qui menait les hommes au carnage. On me mit à l'ombre, d'abord dans la forteresse de Wronke, ensuite à la prison de Breslau alors que le peuple ne connaissait plus du ciel que le cabaret de bombes et des obus. Je jetais mes écrits au milieu des projectiles qui défiguraient les villes et les campagnes. Le seul air libre était celui des mots, des articles que je réussissais à communiquer à Leo Jogisches qui les imprimait. Chaque nuit, mes phrases faisaient la belle, inventant mille et une ruses pour sortir de l'enceinte carcérale. Le désespoir qui me gagna à Breslau faisait écho au désespoir du dehors. Mon corps refusait toute nourriture et se voûta, adoptant la forme d'une virgule le jour où j'appris que Mathilde Jacob m'avait caché la mort de ma chatte, Mimi. Où poser nos pas quand l'Histoire perd son chemin ? Quelle terre intérieure gagner si les champs sont la proie des flammes ? Où se trouvait l'Histoire ? Derrière nous ou déportée sur le côté, au bord de la calcination ? Qu'avions-nous fait pour la perdre de vue, nous qui ne nous débattions plus qu'avec son ombre, difforme et ogresse ?

Condamnée à contempler le monde de ma fenêtre, soustraite par la force aux convulsions politiques, j'avais honte de mon impuissance et me jurai de n'être jamais l'anatomiste d'une époque couchée sur une table de dissection. Un symbole me fit comprendre l'ablation de la conscience politique dont l'Allemagne fut victime le 4 août 1914. Tandis que les députés votaient les crédits militaires et l'entrée en belligérance, Jean Jaurès était enterré, Jaurès dont aucune des idées n'était mienne bien que lui et moi regardions dans la même direction, celle de la liberté. Hostile à la guerre, Jaurès le dreyfusard, Jaurès l'anticolonialiste, fut assassiné par un nationaliste. Hostiles à la guerre, Karl et moi fûmes tenus à l'écart de la scène publique. Un monde basculait dans la boucherie des chairs, dans le bordel des cadavres. Les armées défuntes continuaient à livrer bataille sur le sol de l'Allemagne, de la Serbie, dans les marais de la Lituanie, sous l'épiderme de la Champagne, de la Russie, prolongeant une guerre en surface par une guerre dans les entrailles de la terre, apprenant aux balles à filer dans des boyaux sourds à toute lumière. Les hommes n'avaient plus pour demeure que des terriers. Mes camarades et moi étions enterrés vivants dans des geôles où régnaient la faim et la misère. Sur le front, les soldats disparaissaient dans des mausolées de boue silencieuse. Éteignez les chandelles car les peuples ont été changés en cire. Des Phaéton fous ont bouté le feu au ciel.

L'inévitable en politique, c'est la trahison de la logique des choses par la petitesse des hommes. Voilà la raison pour laquelle toute guerre est de l'ordre de l'évitable. Lançant ma vie au loin, je la voyais retomber sur la forêt qui s'étendait aux pieds de la prison de Breslau ; je comparais mes planches de botanique aux plantes que mes visiteurs m'apportaient, dans l'espoir que toutes les histoires, celles des pierres, des fleurs, des hommes, se réveillent. Je m'écartais de moi afin d'entendre battre le siècle qui dérapait dans l'informe. Dans mes rêves, je m'abritais dans les chants yiddish que mon père, Elias, entonnait de sa voix entre terre et eau.

Autour de quoi ma vie a-t-elle tourné ? Devant quels morts, quelles injustices s'est-elle insurgée avant de pouvoir se dresser, quelle promesse de bonheur a-t-elle éconduite pour n'écouter que les complaintes de la liberté ? Qui dira jamais les pays qui m'ont traversée bien plus que je ne les ai parcourus ? Qui dira l'air hagard, le visage emporté dans la vieillesse des soldats qui ont cru à la guerre comme si Dieu s'y était incarné ? De ma geôle, je voyais le ciel sous les verrous des bombes. La guerre est une anti-musique, un glissement des sons dans la gueule du chaos. Clé de sol, clés de fa ou d'ut, peu importe puisque toutes les portées déraillent, puisque le plus grave et le plus aigu, la noire et le soupir ne font plus qu'un et que les intervalles finissent broyés sous une bombe ou un tank. Il n'est pas de messe, de requiem des bombes car elles éclatent dans le vide qui sépare les notes. Il n'est pas d'art de la guerre car elle est un poing qui embourbe les mélodies des hommes dans les marécages de l'Histoire.

L'oreille collée à la nuit, j'écoutai en février 1917, puis en octobre 1917 les rumeurs de la révolution russe qui heurtaient le front d'airain de la grande guerre, j'épiai les chants des Soviets qui encerclaient les non-chants des tranchées. Rien ne se ferme en un endroit du monde sans s'ouvrir ailleurs… Si c'est à trois temps que la liberté se conjugue, c'est au seul mode indicatif qu'elle se conquiert. L'oreille dressée vers le monde, je m'enivrais des vagues de « j'étais, je suis, je serai » qui venaient à ma rencontre.

« J'ÉTAIS, JE SUIS, JE SERAI » (III)

La mort qui frappait à Breslau avait l'impudeur de celle qui dépeuplait le dehors. Un jour de printemps, une jeune Danoise arriva, encadrée par une escorte de policiers. Dans la cour aux murs râpés — de vétustes torchis recouverts d'une chaux maladroite —, je ne vis qu'elle, son visage pâle d'une beauté nordique où flottait un sourire en forme de demi-lune. Elle avait trop de vie, elle était la vie que nous avions laissé flétrir. J'eus peur pour sa jeunesse venue du pays des neiges, pour sa beauté qu'elle promenait devant nos yeux éteints. M'approchant d'elle, je voulus la prévenir des dangers qu'elle encourait, lui dire que son éclat, son charme, sa grâce injuriaient nos débâcles. Mais la beauté rend muet celui ou celle qui la contemple. Face à elle, les mots ont honte de leur difformité, de leur flou. Les détenues n'avaient d'yeux que pour les escarpins en daim qu'elle agitait devant leurs godillots crevés et leurs regards déchiquetaient sa robe moulante d'un rouge incarnat. Elle fendit le cercle formé par l'envie et la haine et d'un air enjôleur demanda une cigarette. Quand une détenue bâtie comme un colosse la lui déposa entre les lèvres, je sus qu'elle était perdue. La meute avait trouvé sa proie. La nuit, j'entendis son rire blanc comme la neige de son pays, lumineux comme la terre promise, ricocher de cachot en cachot.

Le lendemain matin, dans l'immense cantine où les rats couraient entre nos jambes, elle s'assit à l'écart. Je vis sa pommette gauche tuméfiée, son bras écorché et, par-dessus tout, son obstination à plaire à l'humanité, à Dieu, à la nature, autre nom de sa course à l'abîme. Ce fut une vieille femme, abîmée par la vie, à la démarche bancale, mais à la parole droite qu'elle vit arriver. Je lui pris les deux mains et la priai de renoncer à sa musique de courtisane, de baisser pavillon en dissimulant son être de lumière qui insultait notre misère. Peut-être a-t-elle senti que mon discours disait le contraire de mes émotions ? Peut-être vit-elle que, d'ordinaire insensible à la beauté des corps, je vibrais pour la première fois, aspirée par une harmonie qui dépassait l'humain ? Je compris que je n'avais jamais goûté la beauté pure et que celle-ci n'est pas de ce monde. À quarante-sept ans, un trouble proche du vertige s'emparait de moi. En guise de réponse, j'eus droit à un sourire un peu moqueur. Moi que la pureté des âmes obsédait, je me retrouvais médusée par une chair. Le splendide jour de printemps qui s'ouvrait était laid à côté de cette fille ; c'est ce que les prisonnières ne lui pardonneraient pas. Éclipser les saisons, méduser les deux sexes, voltiger comme un elfe alors que le monde rampait, prendre la vie pour un cabaret quand une danse de mort emportait l'Histoire, tel était son crime inexpiable. La nuit arriva, transpercée de cris et de spasmes. Des heures durant, les pleurs se mêlèrent aux hurlements. Mon corps vomit son impuissance à ne pouvoir venir en aide à celle qui sauvait le monde de sa laideur. À l'aube, des gardiennes la trouvèrent étendue dans les toilettes, sa robe rouge relevée jusqu'aux épaules, un filet de sang coulant de ses lèvres à la toison de son sexe.

L'année 1919 qui s'est ouverte par la grande porte – celle de l'insurrection – s'enlise à présent dans la répression. « Au commencement était l'action », à Gœthe je m'agrippe alors que tout tremble au-dehors. S'abandonnant à la démence, l'Histoire s'enraie, se cabre afin d'endiguer nos conquêtes. Les mêmes cris d'une foule hostile rebondissent du pogrom de 1881 à aujourd'hui comme si les lois d'airain qui gouvernent les choses se voyaient prises à revers par la logique des hommes. Ma pensée dansait là où ma jambe m'obligeait à clopiner. Mais la démarche des événements adoptait cette allure boiteuse contre laquelle j'ai lutté ma vie durant. La claudication qui frappa Camille Claudel, Toulouse-Lautrec, Boris Pasternak, Charles II d'Anjou, Vulcain, qui prit la forme d'une amputation chez Sarah Bernhardt et Rimbaud s'abattait maintenant sur l'Allemagne. Sans doute avons-nous été trop rapides pour l'époque. Nous savions pourtant que, du côté des soldats, les fruits de la révolte n'étaient pas mûrs, que les fossoyeurs de la révolution rêvaient de faire de la terre un immense caveau où parquer les spartakistes. Il n'y a pas un banquet de l'Histoire auquel les masses finiront par être conviées, il y a un processus évolutif qui, à l'image de tout organisme, a ses lois de croissance, des lois à l'éclosion desquelles les hommes peuvent contribuer. Dans le règne des faits sociaux et politiques, le prolétariat est à la fois moteur de l'action et conséquence des structures.

Berlin a un nœud coulant autour du cou. À Munich, à Dresde, à Stuttgart, l'armée tire sur les grévistes, enfonçant loin sous la terre les rails de la révolution. Nos amis Mathilde Jacob et Paul Lévi ont été arrêtés le 11 janvier tandis qu'aux insurgés, une gueule béante hurle « terminus, tout le monde descend ». Karl et moi sommes des êtres en sursis. Adonaï, fais de ta main une arche pour les foules que l'on massacre, décroche du ciel les lampions du meurtre qui rendent la nuit plus aveuglante que le jour, défais la blancheur d'agonie qui enveloppe le 43 de la rue de Mannheim où, Karl et moi, nous nous cachons... Le temps qui me reste à vivre est un herbier qui refleurira à ma mort, le temps qui me reste à vivre est cette dernière ronde du soleil entre l'enfance de mon regard et la vieillesse d'un monde brisé.

Je passe mes ultimes heures l'œil dansant sur les phrases du Faust *de Gœthe. C'est lui, mon dernier compagnon, lui qui entend le premier les coups sourds frappés à la porte, les aboiements des bottes. Le 15 janvier 1919, 21 heures... Dans la bouche des soldats qui ont pris possession de l'appartement, mon nom claque. La haine dégouline des visages des miliciens qui me mènent à la voiture, me conduisant à l'hôtel Éden. Éden... Suprême ironie d'y établir le quartier général de l'enfer... La foule d'hommes en armes, les badauds qui me voient gravir les marches de l'hôtel me déroulent un tapis d'injures. Karl a disparu. Je suis au cœur de l'Éden avec le* Faust *de Gœthe dans ma valise. Le capitaine Pabst me compare à une photo jaunie, puis, assuré d'avoir capturé Rosa Luxemburg, ordonne mon transfert à la prison de Moabit. Éden tourne au Golgotha, le serpent est partout, Adam et Ève nulle part. Ma jambe a l'âge des premières révoltes, ma jambe est née en – 73, lors du soulèvement des esclaves mené par Spartacus, ma jambe porte en elle les combats des gladiateurs, elle ulule comme une chouette mise à mort, elle fait un bruit d'enfer, elle n'a jamais été une jambe, mais un peuple à elle toute seule. Les six mille esclaves crucifiés sur la voie Appienne se mettent à gémir de mon talon à l'aine.*

Dans le hall, la foule a grossi et me lapide de ses regards. Ma jambe est de moins en moins alerte, elle bredouille, elle écoute les voix des dix-sept générations de rabbins dont descendait ma mère, Lina Löwenstein, et cherche à se réfugier dans la sagesse d'un de mes ancêtres, le rabbin Zerachya Halevi, célèbre commentateur du Talmud. Je marche sur les cris de la foule, trébuche dans le sang des canuts de Lyon, de juin 1848, de la Commune de Paris, de la révolution russe. Escortée par le lieutenant Vogel et le soldat Runge, j'entre dans la mort, solitaire parmi la foule. L'Histoire en marche se défaisant, je passe au travers de ses mailles.

Je pourrais lâcher les phrases du Faust *sur les miliciens qui bourdonnent dans l'hôtel Éden ; je voudrais dire à la foule que les conservateurs reboutonnent l'Histoire de travers, la taillent en pièces pour la donner en pâture à leurs chiens de garde.*

L'explosion de silence qui m'accueille lorsque je descends la dernière marche me tend le visage de ma mort. Ils oublient que Karl et moi nous ne quitterons pas le monde, quand bien même on nous bouterait hors de ses frontières ; ils oublient le bond dans le rouge qu'accomplit tôt ou tard une révolution mise aux arrêts. Le temps n'existe plus, le temps s'est jeté en arrière de lui-même, noyé dans les lumières de ce hall biblique, de ce palace édénique où l'on parodie la Genèse. L'hiver ne règne pas seulement sur le peuple des arbres et des champs, il s'est abattu sur l'âme de la soldatesque. Je laisse une dernière fois dialoguer Gœthe avec ma jambe folle où grondent les légions de Spartacus, les sans-culottes, le printemps des peuples.

Ceux qui s'indigneront de nos meurtres redonneront vie au temps et réveilleront l'insurrection. À quelques mètres de moi, se découpent les portes tournantes qui mènent au-dehors où une automobile noire m'attend. Si le temps n'est plus, ce carrousel est un mirage. Aucun tambour d'hôtel ne peut me piéger en son centre. Quels Henri Becquerel, quels Pierre et Marie Curie découvriront la radioactivité de l'Histoire, l'endroit où la fission des noyaux lourds libère une formidable énergie populaire ? Il me reste quelques mètres à parcourir, quelques centaines de centimètres à vivre.

Je ne perçois plus ce qui est mais ce qui va advenir. Du hussard qui s'avance vers moi, je ne distingue que les joues hâves et les moustaches noires tombant comme un saule pleureur. L'homme n'est plus que son fusil. Son être s'est ramassé dans cette crosse qu'il brandit au-dessus de moi. Le premier coup qui s'abat sur mon crâne me mène dans les bras de masses en liesse. Je ne franchirai jamais les portes tournantes du destin. Je n'entends plus ma peur, mon désarroi, je vois ma vie vaciller dans les yeux du hussard avant qu'un second coup de crosse ne percute ma tempe. Je n'ai pas besoin d'ouvrir les yeux. Je sais que les chardonnerets viendront me chercher et m'emporteront dans leur royaume. Tout crépite en moi, tout se tait au-dehors. Des gerbes de lumière coulent de mon nom, de mon nez, de ma bouche. Merci, les chardonnerets, je suis enfin auprès de vous, au cœur de la lune rose, sans vergues ni falaises.

Comme dit Gramsci, le pays légal n'est pas le pays réel ; ou tout simplement : l'opinion dominante n'est pas l'opinion de ceux qui sont dominés (...) Ton texte s'adresse à un public comme celui des mouvements de droits civiques aux États-Unis. On peut se demander : si c'est cela ta cause, pourquoi es-tu ici et pas là-bas ? Mais tu es ici. L'internationalisme pour lequel tu as combattu en te liant à la « R.A.F. » n'est pas du tout celui des organisations internationales qui relient les États, telles que l'O.N.U. ou la convention de Genève ; c'est l'Internationale des mouvements de libération qui mène la guerre à l'impérialisme dans le Tiers-Monde et les métropoles (...) Il est absurde de vouloir faire de l'agitation avec des mots, alors que seules l'explication, la vérité peuvent agiter. Dans le milieu dans lequel nous combattons — État postfasciste, civilisation de consommation, chauvinisme des métropoles, manipulation des masses par les média, tactique de la guerre psychologique, social-démocratie — et devant la répression à laquelle nous sommes confrontés ici, l'indignation n'est pas une arme. Elle est bornée et purement stérile. Celui qui est vraiment indigné, donc concerné et mobilisé ne crie pas, mais réfléchit à ce qu'il peut faire (...) Prendre la collectivité comme un processus, cela signifie lutter ensemble — contre l'appareil qui, lui, est bien réel, et pas du tout imaginaire.

Ulrike Meinhof, *Lettre à Hanna Krabbe* du 19 mars 1976.

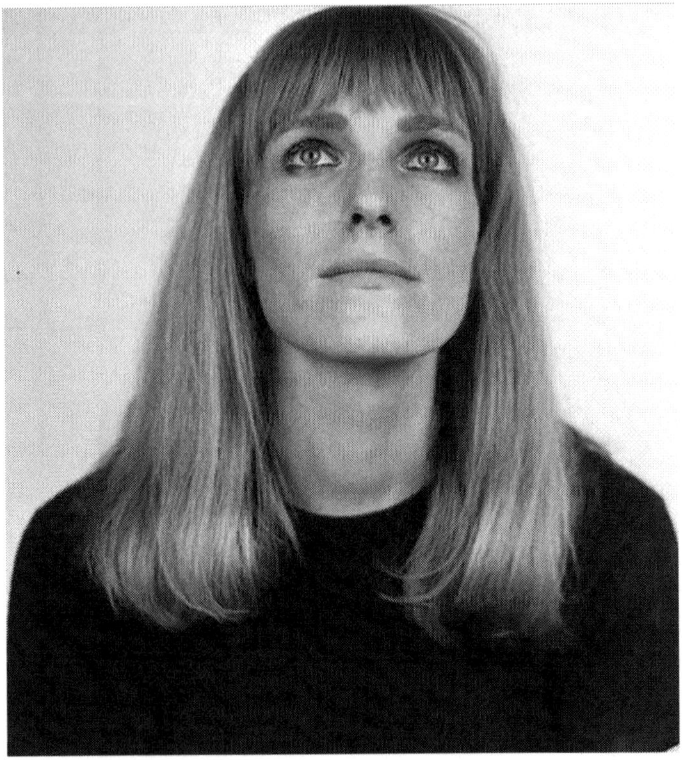

Gudrun Ensslin.

NAISSANCES

Prison de Stuttgart-Stammheim, février 1976.

« Voyelles... Je dirai quelque jour vos naissances latentes »... Non, Rimbaud, plus rien ne naît en Allemagne, sauf la mort, la mort en toutes ses postures, la mort qui accomplit sa besogne en temps de paix comme en temps de belligérance... Surannées les lyres des poètes pour dire ce siècle. Même les mots d'Homère se sont suicidés devant le gouffre. La guerre de Troie s'est laissée mettre en musique, pas la Seconde Guerre mondiale. Sous la tutelle de l'Amérique, l'Allemagne a exporté au Vietnam les paysages de ruines qui ont marqué mon adolescence. Qui nous reprochera d'avoir refusé de cautionner l'horreur, d'avoir tenté de prendre la barre sur elle ? Dans un pays qui étouffe dans l'œuf toutes les naissances, il faut dire avec Emily Dickinson : « Ne sachant quand viendra l'Aube, J'ouvre toutes les Portes (...) Le matin, qui ne vient qu'une fois,

Envisage de revenir — Deux Aubes pour un Seul Matin Donne un prix soudain à la Vie ».

Dans cette forteresse battue par la lumière, on nous jette à la tête deux crépuscules pour un non-matin. Le passé nazi tient la main du présent qui contamine à son tour celle du futur. Tout est cohérent dans ce pays où la logique règne en maître suprême et régit chaque mur, chaque pierre de la prison de Stammheim. Avec une implacable rigueur méthodique, l'architecte qui en a conçu le plan a prolongé les projets du IIIe Reich ; à un spécialiste de la torture, on a demandé d'ériger une prison dernier cri pour les ennemis de l'État que nous sommes ; à un disciple tardif du national-socialisme on a confié notre mise à mort. On prend les mêmes et on recommence, telle est la philosophie en acte de l'Allemagne, ce pays féru de syllogismes où prémisses majeures et mineures mènent à une conclusion létale... C'est pourquoi nous avons dû mettre temporairement les mots au placard et prendre les armes ; c'est pourquoi en 1970 nous avons dit « au revoir, les mots ; place à la lutte armée ».

La nuit, j'observe le ciel comme, enfant, j'avais l'habitude de scruter les hauteurs. Je m'affole de ce carré maussade où rien ne tient en place, comme si la voûte céleste offrait un miroir des heurts qui m'opposent à Gudrun et Andreas. Dans cette discorde cosmique, je lis nos déchirements et entends la chanson des *Nibelungen*. Je vous avais promis d'évoquer le trio Siegfried-Brünnhilde-Gutrune campé par le faux magicien Wagner. Je tiens parole et vous en délivre la musique. Rappelez-vous qu'afin de la punir de sa désobéissance, le dieu Wotan frappe sa fille, la Walkyrie Brünnhilde, d'un châtiment exemplaire. La plongeant dans un sommeil d'où seul un homme sans peur pourra l'arracher, il la rend à sa condition de mortelle et la dépose, inerte, sur un rocher. En avant-plan, Brünnhilde et son roc s'enlacent en une valse immobile, le destin ayant pris la forme d'un sommeil clos sur lui-même ; à l'arrière-plan, l'anneau maléfique forgé par le nain Alberich menace, par la folie qu'il induit, la cohésion du royaume des dieux. Somnolence sphérique, anneau dévastateur... tout se passe entre la tyrannie du Dieu-Père et la tyrannie de l'or. Rappelez-vous que Siegfried, petit-fils de Wotan, héros de l'innocence, réussit, par sa pureté, à récupérer l'anneau d'or et à traverser le rideau de flammes qui protège Brünnhilde endormie. S'unissant à la Walkyrie, il la délivre de son sommeil et s'enivre de son triomphe. Le tout-puissant Wotan a abdiqué son pouvoir, ouvrant, en son retrait, l'ère de la liberté dans laquelle le nom de Siegfried est contenu...

La malédiction rôde sous la forme de créatures infernales, sous la forme du fils d'Alberich, le nain

Hagen qui tend un philtre d'amour à Siegfried. Adieu Brünnhilde, le breuvage en a décidé ainsi, la potion est plus forte que la volonté, le coup de foudre pour Gutrune est consommé, la Walkyrie est non seulement oubliée mais offerte par Siegfried à Günther, le frère de Gutrune. Pris dans un autre sommeil, celui de l'amnésie, le Très Pur s'abandonne à son nouvel amour, vierge de tout souvenir. Cependant, toute faute devant s'expier, c'est sous la forme de la lance de Hagen que la mort frappe Siegfried. Le talon d'Achille de Siegfried — la partie de son dos logée entre les deux épaules —, Brünnhilde l'a imprudemment révélé au gnome. Quand le petit-fils de Wotan observe un vol de corbeaux, le nain plante son arme dans ce dos légendaire qui ne fuit devant aucun adversaire. Faute et pardon ne peuvent que convoler en d'étincelantes noces. Tout amour trahi s'unit à ce qui l'a brisé si bien que Brünnhilde, droite sur sa monture, se jette dans le brasier qui emporte Siegfried, sur fond du Walhalla en flammes. De la Walkyrie à Siegfried, le cercle s'est refermé, un nouvel œil naissant à même la défaite de l'anneau. Le motif du feu qui purifie et guérit les plaies, qui met à bas l'empire des dieux pour que s'ouvre celui des hommes sent trop le soufre et les charniers. Je te le laisse, Wagner.

Si ma logique se cabre face à cette atmosphère de rédemption où l'on chevauche d'immolation en immolation, de repentir en repentir, quelque chose en moi tressaille pourtant face au geste sacrificiel de Brünnhilde, laquelle choisit son oblation pour que l'ère des crimes et des errances touche à sa fin. « Lui, le Pur entre les purs, c'est lui qui m'a trahie ! (...) Il fallait que le plus pur me trahît pour qu'une femme accédât à la connaissance ! »... Sur le crépuscule de l'amour se lève l'aube de la révolution ; au point culminant de la crue qui délite le Rhin, les filles du fleuve récupèrent l'anneau qui recouvre sa perfection, sa mélodie de la candeur. Là où, dans un fracas de flammes, les maîtres du Walhalla, les dieux du capital scellent leur fin de règne s'élève la musique des hommes du Tiers-Monde...

De Siegfried à Andreas, de Gutrune à Gudrun, de Brünnhilde à moi-même, la filiation est troublante, à ceci près que nous nous levons pour n'être les fils et les filles de personne. L'épopée des hommes a imité la saga des dieux ; de l'une à l'autre, la folie du pouvoir nu est la même, d'une main à l'autre, l'anneau passe, dépeuplant la terre de ses stances. Andreas, quel nain t'a fait boire l'élixir qui t'aliène à Gudrun et t'a rendu amnésique d'Ulrike ? Par la malédiction attachée à l'anneau, Wagner a dénoncé le capitalisme. Le reste de la *Tétralogie* pue le bénitier, les vapeurs d'encaustique, le prurit du rachat. Souviens-toi, Andreas, les Walkyries ramassent les combattants morts pour qu'ils forment l'armée invincible de Wotan. Mais cesse de croire que tu n'as nul besoin de l'épée de Siegfried car ton corps, ton charme seraient cette épée Notung et ne pense pas que toutes les épées brisées peuvent se reforger...

Philtre, contre-philtre... Aucun nain ne te les a tendus, toi seul les sécrètes, Andreas. De l'incendie des deux magasins en 1968 à la mise à feu du Walhalla capitaliste, il y a toute la distance qui sépare la lutte armée du nihilisme. Souviens-toi, Andreas, de la niaiserie, de la cécité de Siegfried. Tandis qu'il franchit la barrière de feu et découvre un corps assoupi sous son armure, il ne discerne qu'un homme en lieu et place de Brünnhilde. À peine a-t-il rencontré Gutrune qu'il porte à ses lèvres la coupe qu'elle lui tend, sans soupçonner le charme d'oubli concocté par Hagen, aveugle à la soif de pouvoir et aux intrigues mondaines que trament les hommes et les géants. Rencontrant les filles du Rhin, ces ondines à qui l'or fut volé, il demeure, une fois encore, sourd aux mises en garde et accueille avec persiflage la révélation d'une malédiction attachée à l'anneau. Le contre-philtre versé par Hagen lui ayant fait recouvrer la mémoire, Siegfried regarde, confiant, les deux corbeaux que le nain lui désigne, sans comprendre que qui l'a piégé une fois le bernera une deuxième, sans jamais anticiper le stratagème dont il sera la victime... Éloigne-toi de ce benêt de Siegfried, ce héros qui ne voit rien venir, qui pense porter le destin au bout de sa lance alors qu'il est le jouet de ses songes.

Déjoue le livret de Wagner, Andreas. Brünnhilde a déjà sauté hors de ses pages. Je n'ai pas huit sœurs, huit Walkyries, mais une seule qu'effraient les chevauchées sauvages ; je ne suis pas la préférée du père, la Cordelia de Wotan. Aucune ceinture magique ne me dote d'une force surnaturelle ; n'étant pas de nature divine, personne ne me fera déchoir au rang de mortelle... Mais ton feu, Andreas, a réveillé le mien ; les incendies que tu as allumés dans les deux magasins de Francfort ont secoué mon impuissance, chassé mon somnambulisme. Tu m'as sortie de mon armure de mots qui laissait le monde inchangé. Dans ton regard, j'ai voulu perdre mon nom, senti l'appel à dissoudre mon « je » dans la mélodie du « nous ». Les yeux de Siegfried-Andreas sont des mirages. Pourquoi la bague que tu passes à l'annulaire se retrouve-t-elle nœud coulant autour du cou ? Tes yeux chantent l'eau, la vie de cascade en cascade, mais taisent la noyade qui paraphera le *finale*. De l'Allemagne, tu as hérité cette fièvre à ingurgiter des breuvages d'oubli, à calciner ta mémoire. Renate a beau me rappeler qu'enfant je récitais des histoires de fées et d'ogres, je n'ai jamais aimé les contes. Oui, la génération de nos pères est coupable comme le sont les parents de Hänsel et Gretel, oui sur cela, on peut appuyer le choix des noms de code Hans et Grete pour Gudrun et toi, mais, hormis cette justification, le choix fut grotesque. Ne reviens ni comme Hans, ni comme Siegfried. Reviens en tant qu'Andreas. « Voyelles… Je dirai quelque jour vos naissances latentes… », c'est ce que ton regard en crue clamait. Je préfère la vérité de l'étiage aux orgues enjôleuses des ras de marée.

Nos héritiers radicaliseront leurs positions et la contre-violence qu'ils opposeront à la brutalité étatique frappera à l'aveugle. Mais, Andreas, peut-on être l'héritier de la rage, de la révolte sans être celui du désespoir ? Désespoir… Un nom dont tu t'écartes, un nom dans lequel, parfois, je coule à pic, regagnant des vagues éclairées par le sourire triste de Virginia Woolf. Peut-être te détournes-tu moins de moi que de ma mélancolie… Quand Jean-Paul Sartre est venu te rendre visite en décembre 1974 lors de la troisième grève de la faim que nous menions, pourquoi n'a-t-il pas compris que sa phrase « en 1943, chaque bombe contre les nazis était légitime, parce qu'il fallait délivrer l'humanité des nazis » vaut pour aujourd'hui ? Qui ne voit que de nos jours le nazisme se poursuit en Allemagne par d'autres moyens ne comprend rien à notre action. Quel nouveau Brecht mettra à nu un gouvernement qui arbore une tenue de boy-scout alors que l'uniforme SS s'est glissé sous la peau dans l'attente d'éclatantes médailles ?

Ce que nous voulons, c'est la révolution. C'est-à-dire qu'il y a un but et par rapport au but, il n'y a pas de position, mais seulement le mouvement, la lutte ; le rapport à l'être — comme tu dis — signifie donc : combattre (...) Devant l'envahissement total, dans le système impérialiste de tous les rapports par le marché et étant donné le processus d'étatisation de la société par les appareils d'État idéologiques et répressifs, il n'y a pas un lieu ni un moment d'où tu puisses dire : voilà d'où je pars. Il n'y a que l'illégalité et les territoires libérés (...) Position et mouvement s'excluent l'un l'autre (...) La position de classe ne peut être que le mouvement de la classe dans la guerre des classes, voilà ce qui arme le prolétariat mondial dans son combat, en réalité son avant-garde, les mouvements de libération. Ou comme le dit [George] Jackson : « connexions, connexions, connexions ». Donc : mouvement, interaction, communication, coordination, lutter ensemble — la stratégie. Tout ceci est paralysé dans le concept de « position de classe ».

Ulrike Meinhof, Lettre aux camarades de prison de Hambourg du 13 avril 1976.

POUR INGEBORG (I)

Prison de Stuttgart-Stammheim, mars 1976.

Je me cogne aux murs de ma cellule 719. Que s'est-il passé en l'an 719 en Allemagne, en France, en Chine ? Que n'avons-nous réussi à donner au monde 719 soleils, 719 levers d'étoiles ? Quelles sont les 719 lettres masquées qui plombent la vie ? Je n'agence plus mes pensées, Andreas, je te les jette au visage. De toute façon, ce que je t'envoie ordonné, tu le lis à l'envers. Prends garde à ne pas tomber dans la dyslexie, dans le daltonisme de l'Histoire, à ne pas mettre en position de cause ce qui n'est qu'effet. Victime du daltonisme, je l'aurai été avec toi, en amour, me promenant dans un cœur rouge qui s'est déjà mis au vert, malaxant la tige et l'œillet dans une même couleur. J'ai trop côtoyé Hölderlin pour croire encore que j'aurai la mort d'Empédocle. Sauterais-je dans un volcan, dans l'Etna que tu me tends, la cheminée ne serait plus qu'un puits rempli de tes sarcasmes… La Ulrike que tu as aimée, c'est celle qui clamait « Vous êtes partie prenante de l'aggravation ou de la solution du problème. Entre les deux il n'y a rien ». La Ulrike que tu fuis est celle en qui le spleen le dispute à l'abattement. Le problème des images que Gudrun manie, c'est qu'elles sont justes en elles-mêmes, fausses dans leur raccord avec la réalité. Le couteau qu'elle m'accuse de planter dans le dos de la RAF, c'est vous qui m'en transpercez. Le problème de Gudrun, c'est qu'elle boit tes paroles, tes regards, ton sperme avec la ferveur d'une communiante.

Nous parquant dans ces cellules du septième étage, pensent-ils mettre la révolution à quai ? Entre le passé et le présent, je me balade. Entre les visites de ma sœur Wienke, les entretiens téléphoniques avec mon défenseur Axel Azzola et les souvenirs de Jürgen Seifert, de Klaus Wagenbach, je navigue. L'amour entre Renate et ma mère à une époque où affirmer son homosexualité c'était entrer en résistance, ma dévoration de Dostoïevski, de Kafka, de Zweig, de Cocteau, mes premiers articles dans *Spektrum*, le journal d'école que j'ai créé en 1955 avec Werner Link, ma collaboration au journal *David*, organe du SDS, la Ligue socialiste des étudiants, ma rencontre au café Funkeck à Hambourg avec Marcel Reich-Ranicki, un des témoins au procès du SS Karl Wolff où, au cours d'une longue et intense interview, il fut question du ghetto de Varsovie, de la solution finale, mes camarades dans la lutte, Rudi Dutschke, Giangacomo Feltrinelli, les textes d'Enzensberger, de Simone de Beauvoir, de Pablo Neruda publiés dans *Konkret*... tels sont les pans du passé qui ressuscitent, brisant l'enfer de mes heures. C'est ainsi que je me retrouve souvent menée comme malgré moi aux côtés d'une poétesse qui porte le prénom de ma mère, c'est ainsi que mon présent se lézarde pour laisser place à Ingeborg Bachmann, réveillant les souvenirs de la visite que Gudrun, Bernward Vesper et moi lui rendîmes à Rome. Rome dont les carillons déchiraient le ciel, Rome qui sentait la mer, une mer retenue captive sous les fondations de la ville, Rome qui parlait tout en coupoles là où l'Allemagne s'énonce en flèches et en pointes... Défaite et victorieuse, ainsi m'apparut Ingeborg Bachmann.

Quand je la vis sur cette place, la chaleur se fit moins pesante, aspirée par la blondeur de Bachmann. Elle portait son regard très loin devant elle tandis que sa cigarette voltigeait d'une main à l'autre. Son visage était un poème où combattaient les mots et la lumière. Un pigeon à l'aile déboîtée reposait sur un monceau de détritus, attendant que la mort vînt le cueillir. Face à ce ramier blessé, je pensai à *Genres de mort*, son roman sur les façons de mourir dont elle avait fait une série de lectures en Allemagne en 1966, je songeai à sa phrase — la mienne, la nôtre, celle que Sartre avait négligée — sur les différentes manières de crever, d'être assassiné dans un pays où « la guerre n'est plus déclarée, mais poursuivie ».

Bernward était défoncé. Gudrun s'emportait dans cette exaltation froide qui la caractérisait, ne voulant pas rencontrer Ingeborg Bachmann pour elle-même mais s'enfoncer dans les voix de l'autre Allemagne, Heinrich Böll, Günther Grass, Paul Celan, Arno Schmidt, Hans Magnus Enzensberger. Gudrun devenait alors un fleuve qui sautait à la gorge des terres de Will Vesper, le père de Bernward, le père de la poésie *Blut und Boden* adulée par les nazis ; elle jouait l'eau et le métal contre les enragés du sol, contre la mystique noire de la terre mère. Je compris ce jour-là que, même migrant d'un paradis artificiel à un autre, Bernward ne pourrait guère échapper à l'ombre de son père et que Gudrun pour dénazifier la langue était prête à l'arracher tout entière. L'image du pigeon mourant ne me quittait plus. Nous errâmes d'une place à l'autre. Du fond de sa défonce, Bernward s'émerveillait du soleil de cendres rouges que les yeux de Gudrun épandaient. Ingeborg nous mena Via Bocca Leone 60 où elle résidait. Je tournais prudemment autour de certains noms, comme s'ils eussent été minés. Lorsque j'avançai celui de Paul Celan, deux rides sillonnèrent le front d'Ingeborg.

Elle nous montra les livrets qu'elle avait écrits pour Hans Werner Henze, *L'Idiot, Le Prince de Hombourg, Le Jeune Lord*, évoqua l'appel lancé par Hans Werner Henze, Heinrich Böll, Günther Grass, Max Frisch, Martin Walser et bien d'autres contre le monopole de la presse d'Axel Springer. À chaque verre d'alcool qu'elle vidait, une année du passé ressurgissait dans le plus grand désordre. Son engagement contre l'armement nucléaire en 1958, l'année des retrouvailles avec Celan ; sa signature de la « Déclaration contre la guerre au Vietnam » en 1965 ; sa brouille avec son éditeur Klaus Piper après que ce dernier fit traduire les poèmes de son amie Anna Akhmatova par un poète nazi, Hans Baumann, un autre Will Vesper... Bernward n'était pas à Rome, mais dans les années de boue qu'il dynamitait à coup de cocktails alchimiques. Gudrun n'était pas aux côtés d'Ingeborg, mais hallucinait un grand corps rebelle traversé par les voix de Nelly Sachs, Anna Seghers, Ilse Aichinger, Max Brod.

Klagenfurt... Bernward balança le mot. Klagenfurt, ville de Carinthie où Ingeborg naquit un demi-siècle après Musil, Klagenfurt qui, en 1938, se mit à vivre à l'heure nazie, les troupes d'Hitler déferlant dans ses rues tranquilles, s'égayant dans la tête du père qui fit de son cœur un tambour… L'heure nazie où la petite aiguille extermina l'autre, l'heure nazie qui viola le langage et l'enchâssa dans la glaise… L'heure nazie qui tourne encore dans la bouche des pères, qui colle à nos vocables et les revêt d'une seconde peau… Qui réussira à lever l'*Anschluss* du langage, l'annexion du verbe par les mythes de la mort pure ? Qui sortira les mots de leur démence raciale, géographique, métaphysique ? Qui arrachera les branches du svastika qui poussent entre leurs lettres ? Qui les obligera à regarder les charniers, les crématoires dont ils sont les héritiers ? Quelle grammaire allemande, quelle langue inventer qui ne soit contaminée par la syntaxe et la sémantique du IIIe Reich ? La durée à Rome ne tient dans aucune horloge. La douleur d'Ingeborg s'y allégeait.

Une, Ingeborg et moi étions dans notre opposition au réarmement nucléaire ; une, nous étions dans notre refus de la guerre du Vietnam ; une, nous étions dans la dénonciation du fascisme intégré dans le capital. Deux, nous étions aussi car elle croyait encore à la force de frappe des mots alors que, dans mon chef, entre le verbe et l'acte, le divorce était consommé. L'alcool offrait à Ingeborg et à Bernward une seconde patrie dont Gudrun et moi ne goûtions pas les charmes. Il est vrai qu'à la différence d'Ingeborg et de Bernward, Gudrun et moi avions échappé au fardeau des pères coupables, ces pères qui, avalés par la voix hallucinée du *Führer*, avaient légué à leur descendance cette même propension à l'hallucination, non pas la voyance rimbaldienne qui offre la vue d'une mosquée en lieu et place d'une usine ou celle d'un salon au fond d'un lac, mais un affolement des sens sous l'effet de la peur. Ingeborg Bachmann n'était pas parcourue par des peurs, mais était la peur de pied en cap, la peur faite poète puis romancière comme si la poésie n'avait guère réussi à lui faire barrage.

Bernward cherchait les méridiens du cerveau qui ne connaissaient pas la honte, les parallèles cérébraux que la drogue rendrait légers et vierges. La maison d'édition *Studio für neue Literatur,* les brochures, ensuite les éditions *Voltaire* qu'il a fondées avec Gudrun ont fait jaillir une nouvelle voix, née d'elle-même, sans géniteurs, une voix qui croit à la jeunesse de la langue et qui n'aborde le monde qu'éméchée et orpheline. Mais, en sous-main, c'est Kafka que Bernward rejouait, perdu dans la rédaction d'une interminable lettre au père, écartelé entre le bond en avant et les ruses du vieux Will Vesper. Tandis qu'il dynamitait toute filiation, il songeait à publier l'œuvre du paternel, héraut de la terre blonde. Cracher sur le trou en arrière de la naissance et faire de son corps, de sa vie, de ses éditions un mausolée pour le père ; coincer le nom du géniteur entre le hasch et la poudre et inonder l'Allemagne de ses œuvres complètes ; incendier le temple et être le gardien de ses cendres recomposées… Écartelé entre ces contradictions, Bernward implosait.

Les yeux d'Ingeborg donnaient congé à l'univers. La Bohême est au bord de la mer, la mort aux portes de la Via Bocca Leone, en arrière du regard d'Ingeborg, là où son enfance remontait en sa douleur présente. Effacée du logis, de l'ameublement, du décor, l'Autriche remontait dans ses paroles. Le nom d'Innsbruck lui explosait les tempes, Innsbruck où elle entama des études de philosophie, s'enfonçant dans Heidegger et Wittgenstein, Innsbruck à proximité du cimetière de Mülhau où repose Georg Trakl, sur la tombe duquel Paul Celan s'était recueilli… Pour ne pas laisser l'Autriche l'envahir de toutes parts, Ingeborg enfilait coupe de champagne sur coupe de vin, s'abandonnant à l'ivresse.

POUR INGEBORG (II)

Prison de Stuttgart-Stammheim, mars 1976.

Lorsque j'étais incarcérée à la prison de Cologne-Ossendorf, alors qu'on venait de mettre fin au régime d'isolement total qu'on m'avait imposé, j'appris l'incendie qui ravagea l'appartement d'Ingeborg au palais Sacchetti de la Via Giulia 66, la brûlant grièvement. Cocktail whisky-barbituriques, la cigarette avait-elle chuté de ses lèvres ? Sa robe de nuit s'était-elle enflammée ? Du 26 septembre 1973 au jour de sa mort, le 17 octobre, j'eus deux vies à porter à bout de bras, la mienne que la torture des prisons allemandes tentait d'étouffer, celle d'Ingeborg qui partait à la dérive, portée par le feu, trois ans après que Paul Celan, l'homme qu'elle avait aimé plus que sa vie, se fut confié à la Seine. Du feu à l'eau, quelle différence ? Un dernier poème en flammes où l'on disparaît sur un vers laissé en pointillé... Ma prison blanche vidée du sang du monde, habillée d'une lumière qui flambe comme une torche, la chambre nue d'Ingeborg, aux murs muets, à l'hôpital San Eugenio… Tout chancelait.

La liste des assassinés, des naufragés était immense, Kleist assoiffé d'un trépas qui fût double, Otto Weininger se donnant la mort dans la maison où vécut Beethoven, Trakl doublant la ligne de vie par une ligne de coke, Maïakovski, Tsvetaïeva, Zelda Fitzgerald brûlée vive au fond de sa psychose, Cesare Pavese plongeant sa vie dans un chômage définitif, Stig Dagerman butant sur le néant, Sylvia Plath tissant ses mots en un étroit nœud coulant, et l'hécatombe de la seule année 1970, Celan, Mark Rothko, Unica Zürn, Mishima et son *seppuku*, bientôt rejoint par Kawabata… Tous ces hommes et femmes devenaient les personnages de son roman *Genres de mort*… Ingeborg, je me souviens de ton projet de préface à *Franza,* « C'est un livre sur les crimes. Je me suis souvent demandé où était passé le virus du crime. Certes, les massacres sont terminés mais les assassins sont toujours parmi nous. Oui, j'affirme et vais tenter d'en apporter une première preuve, qu'aujourd'hui encore nombreux sont ceux qui ne meurent pas mais sont assassinés ». Ingeborg, je me souviens d'une phrase dans *Malina :* « l'histoire donne des leçons, mais elle n'a pas d'élèves », et je fais de la RAF l'aiguillon qui guérira cette pathologie séculaire.

Ingeborg, reviens-nous, reviens-moi une semaine, une journée, arrache-toi au cimetière d'Annabichl à Klagenfurt où l'on t'a parquée alors que tu rêvais de reposer au cimetière protestant de Rome, allongée entre Shelley et Keats, dialoguant avec la lumière italienne qui traverse tombes et urnes mais qui ne t'a pas arrachée aux brumes du Nord... Ceux qui ont épousé la fugue de leur vivant s'y livrent-ils encore dans la mort ? Migrent-ils de sépulture en sépulture ? Nos tombes attendent au septième étage de Stammheim, nos tombes seront aériennes. Quelles nécrologies pour les nuages, les rivières, les fées, Ondine, la princesse de Kagran que tu faisais chanter, Ingeborg ? Quel thrène pour tes douleurs qui avaient la forme de la Styrie, le relief du Tyrol, les couleurs de la Carinthie ? Le désespoir peut accoucher de fleurs poétiques, de fleurs de révolte mais nul ne sait quand leurs propres épines les transperceront. Le 17 octobre 1973, les grandes épées du feu lacérèrent le corps de Bachmann. Le 15 mai 1971, la décoction de somnifères et de souffrances arracha Bernward Vesper à la vie.

Emprisonnés au septième étage, nous sommes au-delà du ciel, dans une région intermédiaire qui n'appartient plus ni à l'air ni à la terre. S'il y a un au-delà du ciel, quel est l'au-delà de la révolution ? La société émancipée ou la mort ? D'ici quelques mois tombera le verdict d'un État assis sur les épaules du fascisme. Il n'est aucune clémence à attendre de qui a été démasqué. Qui perpétue les crimes nazis sous une autre forme prononcera la perpétuité pour Andreas, Gudrun, Jan-Carl et moi.

Il n'y a que dans les opéras de Wagner que la neige ne fond jamais. Ce matin, les flocons se sont désintégrés en plein vol. La perpétuité pour nous, c'est aussi la perpétuité de la lutte armée, la rébellion qui passe d'un corps à l'autre. Les tremblements de terre indiquent la nausée qui envahit les sols honteux d'abriter certains cadavres. Je m'étonne que l'écorce bolivienne n'ait pas encore tremblé depuis l'assassinat du Che en 1967. Si des convulsions s'emparaient du sol allemand, il est certain qu'il ne survivrait pas au ballet de ses hoquets. « Si les maisons sont vertes par ici, je peux encore y entrer. Si les ponts ici sont intacts, je peux marcher de pied ferme »... Bientôt, Ingeborg, maisons vertes et ponts intacts sortiront de terre et t'accueilleront.

À quoi nous sommes-nous brûlées, Ingeborg ? Tes poèmes, tes romans qui ont pris l'Histoire sur leurs épaules restent plus droits que des flèches de beffroi. Toi seule t'es voûtée jusqu'à te rompre. Le présent flambe toujours, c'est cela qui t'a brûlée. Dans la forêt du temps, tout est confus, les arbres d'aujourd'hui y sont plus vieux que les arbres de jadis. La ruse du libéralisme, c'est d'affubler les escadrons de la mort d'un visage inoffensif, de les faire voler bas au milieu d'essaims d'oiseaux. La neige tombe à nouveau, sans plus s'évanouir à mi-hauteur du ciel et de la terre, sans plus libérer son armée de kamikazes. Appuyé à la table, mon bras gauche recouvre la mémoire et se met en place pour accueillir le violon de mon enfance. Seul l'archet de Jascha Heifetz pouvait faire chanter la neige, mener les sons au pays des couleurs. Enfant, j'avais le violon bavard. Je doublais la musique d'une farandole de mots, l'alourdissant de descriptions. Le jour où l'on m'apprit que les crins de mon archet provenaient de queues et de cous de chevaux, j'eus peur que ces derniers ne viennent réclamer leur bien, je redoutais que l'archet se mette à hennir, ses crins redevenant une queue en panache. Mon violon n'a jamais épousé le bruit de l'eau, la rumeur de la forêt car il était trop disert. Je n'avais pas encore saisi qu'il n'y a ni cordes frottées, ni cordes pincées, seulement des cordes à caresser. La batterie m'a appris à resserrer ma prose prolixe dans un rythme plus nerveux. *À* coups de bélier, la neige frappe Stammheim, se fracassant contre les murs qu'elle tente de mettre à bas. C'est maintenant la dernière neige, Ingeborg, les morts d'en haut réveillent les morts d'en bas. Le rideau de plumes et de virgules qui se referme sur moi, le rideau de feu qui t'a enveloppée, Ingeborg, c'est aussi un début de monde pour qui prendra les armes.

Tu n'es pas morte, il y a trois ans, Ingeborg, c'est aujourd'hui, c'est chaque jour qu'on te fait mourir... Les prochains à éliminer, sur la liste établie par la République Fédérale d'Allemagne seront...

Les livres de ma bibliothèque tanguent. Accroche-toi, Ingeborg, la tempête commence. On n'assassinera pas la RAF en nous mettant à l'ombre. L'État a porté la guerre au cœur de nos nerfs, nous la porterons au cœur des siens. Qui dialogue avec un État oppressif, avec l'impérialisme américain les laisse prospérer en toute impunité. Ingeborg, l'ouverture de ton poème *Tous les jours,* je me la récite chaque matin, « la guerre n'est plus déclarée, mais poursuivie ». En Allemagne, le diagnostic politique et social, l'usage des mots sont frappés par une pathologie héréditaire. Pour preuve, dans ce pays où l'on vénère Alaric et étanche la soif à coups de sang prussien, l'on nomme démocratie la brutalité du système et terreur les actions émancipatrices de la lutte armée. La fourche qui se dresse contre l'injustice est conspuée tandis que la guillotine bureaucratique, servante de l'Ordre, est ovationnée. Affronter le problème, c'est ne vivre que pour en triompher. Nous ferons sauter les rails de mort qu'emprunte l'Histoire. Nous mènerons la lutte jusqu'à la grande tombée des bombes dans le silence, les leurs surtout, mais aussi les nôtres. Le ras de marée orchestré par nos membres, par nos sympathisants éclatera à la fin de ma phrase.

Andreas Baader, Gudrun Ensslin, octobre 1968, lors du procès pour l'incendie de deux magasins de Francfort.

Dans *chaque* cas, les attaques contre les installations américaines ici forcent l'État à réagir en fonction de ce qu'il est depuis 1945 : une branche du capital U.S. *et* une pièce dans le système des États sous emprise américaine malgré le camouflage au niveau des institutions du véritable statut de la République fédérale : un territoire militairement occupé par les U.S.A. (...) Parce que le fascisme, ici rendu *visible*, va mobiliser *nécessairement* contre la République fédérale allemande tout ce qu'il peut y avoir de ressentiment politique à l'étranger contre elle, un vieil antifascisme, et tout ce qu'il peut y avoir de ressentiment contre l'impérialisme allemand (...) Et précisément avec comme ligne : l'ennemi principal, ce sont les U.S.A. (...) Sur le plan de l'élaboration de la stratégie de la politique révolutionnaire, cela signifie : comprendre que le gouvernement de chaque État est un appareil de répression intérieure, mais du fait de sa déterminatiuon au niveau international en faveur du capital multinational américain.

Ulrike Meinhof, *La situation de la RFA*, fin avril 1976.

ANTIGONE, MA SŒUR (I)

Prison de Stuttgart-Stammheim, mars 1976.

D'Andreas à Che Guevara, il y a la distance qui sépare un ruisseau en colère d'un fleuve qui libère le Tiers-Monde. Je relis le Che pour ne plus entendre les critiques de Bonnie and Clyde. Non Gudrun, le problème n'est pas que, sous le concept de lutte armée, nos yeux ne voient plus la même chose, la querelle ne porte pas sur des questions de style mais sur la forme même à donner à la guérilla. Tu n'as jamais cru qu'à ta rage, à ta pureté et aux mots tombés des lèvres d'Andreas, c'est pourquoi la passion de la vie te paraît fade au regard de ta passion de la mort. Ce que tu aimes dans l'absolu ? Qu'il te sépare du monde, qu'il se situe sur ce plan de surréalité qui fait briller tes yeux, qu'il fasse de toi, encore plus que la compagne d'Andreas, la fiancée de la mort. Ton esprit, ton corps étant taillés d'un seul bloc, lorsque la transe les gagne, tu n'es plus qu'un déluge de feu qui se dresse contre l'inacceptable. Le problème, c'est qu'au regard de l'absolu qui t'enflamme, toute action te paraît étroite, approximative, imparfaite. Ton obsession d'une radicalité blanche sent le religieux, à tout le moins la mystique. Tu n'aimes dans la réalité que ce qui lui est infidèle et la dépasse. Je te l'ai déjà dit. Si nous instruisons des procès les uns contre les autres, si la RAF se déchire de l'intérieur, l'État a gagné. Ne m'assourdis plus de tes aboiements, garde-les dans la niche d'Andreas et cesse d'appliquer la logique du ciel à la terre. Tu m'appelles sainte Thérèse ? Pourquoi m'attribuer un souci théologique qui est le tien sinon parce que tu as honte de tes divines extases, de ton transport en Dieu-Andreas… Rappelle-toi la formule de Bakounine, « si Dieu existait, il faudrait l'abolir ». Ta dépendance sexuelle envers Andreas est pathétique, Gudrun.

À chaque phrase du Che, je revois son exécution, sa longue remontée dans les montagnes, l'armée bolivienne chapeautée par la CIA qui traque son gibier au faîte de la cordillère des Andes, les ruines des Incas qui revivent l'enfer enduré sous le conquistador espagnol Pizarro. À chaque phrase du Che, je revois les grands plissements rocheux où dorment les secrets de la langue quechua, la junte militaire qui assassine sans relâche… Le 8 octobre 1967, le campement du

Che est encerclé. La dernière nuit, il la vivra dans le petit village de La Higuera. Le lendemain après-midi, la mort aura pour collaborateur le sergent Mario Terán, tireur aléatoire choisi au terme d'un tirage à la courte paille. Une avalanche de balles, la volonté de masquer l'exécution en faisant croire à des blessures de combat, la fin d'un homme qui offrait un début de vie au Tiers-Monde, la fin du médecin des pauvres et des paysans sans terre, les pleurs des forêts d'émeraude et de topaze, la colère du Machu Picchu, de Fidel Castro, des guérilleros du monde... Trêve de mélancolie. Dans toutes les révoltes, la force du Che continue à irradier puisque tous les corps en lutte abritent le sien.

Gudrun, j'ai trop de phrases qui se bousculent à l'entrée de ma gorge, trop de mots qui, maintenant qu'ils sont coupés de leur action, se figent dans la glace. Les verbes que j'installe sur le rebord de la fenêtre ont la tentation du vide et courtisent la mort, cette mort dont le capitalisme assaisonne nos vies. Entre nous et la génération qui nous a mis au monde, il y a des bancs de cadavres. Les vautours du passé nous rongent les entrailles. L'eau que je bois ou fais couler sur mon corps a la densité de la pierre, Gudrun, si bien que je m'abreuve de cailloux, me lave à jets de silex. Enfant, je plaignais les pierres que les ruisseaux polissaient sans relâche, condamnées à ne connaître ni les caprices du vent, ni la douceur de la neige. Je les retirais des lits peu profonds. Aujourd'hui, les pierres se sont vengées, elles ont rendu solide l'eau qui les tyrannisait, elles refusent d'apaiser ma soif, d'étancher ce grand vide qui me rend plus légère que l'air, oublieuses des efforts que, dans ma jeunesse, j'ai dépensés pour les sauver. Les grands aplats pierreux qui obstruaient le fond des rivières sont les crimes irréparables commis hier qui bloquent l'aventure du temps et carient la bouche du présent. Retirer les blocs muets des cours d'eau, c'était ôter de nos bouches les nids d'épines du nazisme. Parfois, nos actes savent davantage que nous ce que nous faisons. La vraie prophétie, c'est nous laisser conduire par des actions qui, dotées d'une lucidité en avance sur nos errements, nous précèdent. Nos agissements sont à notre être ce qu'Antigone est à Œdipe devenu aveugle ; seul le pied bondit, seule la main pense alors que l'esprit n'a pas encore fait le tour de lui-même.

C'est pourquoi, aux juges qui me feront face, je dirai : « Aujourd'hui, le monde se lève contre les tyrans, deux poings fouillant la terre », et je ferai venir Antigone, accouplant son siècle au nôtre, son « non ! » dressé contre les lois iniques de Thèbes à notre « non ! » qui ne laisse rien passer entre ses mailles.

La race d'Œdipe, celle des Labdacides, est lasse de ce qui ricoche de l'homme à l'homme, friande de rendez-vous avec ce qui dépasse l'humain... C'est ce que les Créon de demain vous diront. Si je descends en droite ligne de Cadmos, le fondateur de Thèbes, je descends en spirale des fleurs qui naissent des éclairs. De deux orages, je suis la fille, du fougueux Œdipe et des cris qui poussent le ciel à s'ouvrir en deux. La patience, la prudence sont bonnes pour les montagnes, les ceps de vigne. Mais c'est la mort pour moi, Antigone. Dans les sources qui entourent Thèbes et sillonnent la Béotie, je plonge, à la recherche de la voix de ma mère Jocaste, sa voix d'avant la pendaison. Petite, alors qu'Ismène dormait encore, je me levais pour réveiller l'aube. Moi, Antigone, je me faisais la bergère de l'aurore, soucieuse de prévenir l'inceste du jour et de la nuit, du fils et de la mère, acharnée à faire naître le jour de ma seule présence. Le jour, c'est aussi fragile qu'une colombe. Je devais veiller à ce qu'il ne demeure prisonnier de la nuit mais aussi l'empêcher de s'envoler à tout jamais. Lourdes de la mort du Sphinx, de la peste qui s'abattit sur la ville alors que mon père fut nommé roi, les portes du jour étaient dures à pousser. J'ai aimé ce Sphinx au visage de femme, au corps de lion encadré par de larges ailes... J'aurais voulu apporter une réponse absurde à son énigme pour être sûre d'être dévorée. Comment n'aurait-il pas broyé les voyageurs malhabiles qui, ne sachant répondre à sa devinette, ne savaient qu'ils étaient des hommes ?

Par chacune des sept portes de Thèbes passe un jour de la semaine. Par mon corps passent des générations brouillées, une mère qui est grand-mère, un père dont je suis le fils, l'amante, le frère. Sur la poitrine du Sphinx, j'aurais aimé reposer ; dans son ventre, j'aurais dormi pour l'éternité. La généalogie des nuages n'est autre que la grande égalité de l'avant et de l'après. Heureux nuages, pères et enfants, morts et vivants tout à la fois, heureux l'inceste céleste, l'inceste divin, mais pluie de malheurs l'inceste qui frappe les hommes et la ronde des jours et des nuits…

Le maniement des armes n'a pas de secret pour moi. Ma lance vole aussi longtemps que celle de Polynice. Mes mains ne connaissent pas ce que vivent celles d'Ismène, la laine du tissage qui file entre les doigts, les perles qu'on assemble, les cheveux qu'on arrange en des bouquets de boucles. Je suis sur cette terre comme une belette qui craint la lumière. Mes muscles sont des vagues folles qui se roulent en boule et aboient pour retrouver la mer, mes pensées sont des sceptres de foudre qui s'abattent sur mes douleurs.

Jamais Œdipe n'aurait dû voir le jour et ni Étéocle, ni Polynice, ni Ismène, ni moi, ne devions naître.

Tout vient de là. Tout découle du crime de Laïos qui a offensé la sagesse des dieux en s'éprenant et en abusant de Chrysippe, le fils du roi Pélops qui l'hébergeait. L'embrasement du corps qui s'empare de Laïos à la vue de Chrysippe, le rapt, l'outrage infligé au jeune homme, le viol de sa jeunesse et de sa beauté, la mort que, de honte, le fils de Pélops se donne... L'histoire est connue. La raison des Labdacides s'arrête là où commencent leurs désirs. Ils sont des êtres de fièvre qui ont avalé le soleil et la lune rouge. Je suis la petite-fille du Crime, la fille d'un autre Meurtre. Je plaide coupable pour l'innocence, innocent pour la culpabilité. J'accuse les dieux d'un complot contre nous, ces dieux qui ont plongé mon père dans un piège parfait, se gaussant de le voir s'enfoncer dans la faute là où il pensait déjouer le sort effroyable qu'on lui réservait. Les divinités ont pipé les dés afin que le destin eût le dernier mot, que la voix des oracles s'accomplît.

ANTIGONE, MA SŒUR (II)

J'ai encore dix ans. Je cours à perdre haleine dans les plaines qui bordent le palais, je cours dans la folie des miens pour qu'elle ne me rattrape, je cours dans mon patronyme, j'arrache mes ongles, mes cheveux, mes vêtements et les donne en pâture au vent, je suis l'enfant qui galope dans le labyrinthe des meurtres. Trois générations maudites. Telle fut la malédiction proférée par Pélops qui laissa Laïos en vie mais voua au malheur sa descendance... Les dieux qui ont parlé au travers de la bouche de Pélops ont rendu la réalité conforme au vœu maléfique. Tout est désormais tordu, malade chez les Labdacides, la source de vie s'y empoisonne toute seule, les fils épousent leur mère, j'épouserai mon frère, je violerai Ismène. Le temps s'est figé, les gestes de Laïos en moi remontent, la beauté de Chrysippe est devenue celle de ma sœur, l'élan d'Œdipe habite mes veines, sur la couche nuptiale, Polynice a remplacé Jocaste... Notre sève croît tout en nœuds. Nous ne savons plus où notre corps finit, où les générations, les sexes se terminent. J'ai trop d'étoiles dans les mains, mais pas assez de ciel au-dessus de la tête. Je suis Antigone, Œdipe, Laïos tout à la fois. Les nuages roses sont des lèvres qui attendent mes baisers. Le destin a été inique avec les miens, voilà pourquoi, partout, je combattrai l'injustice et dirai non à ceux qui s'apprêtent à mettre le vent en cage.

Je n'ai pas bondi dans les champs aujourd'hui, ce sont mes larmes qui ont caracolé sur mon visage. Les malédictions s'enchaînent sans se ressembler. Sa mère, sa femme, ma mère morte — trois morts en une personne —, ses yeux perdus dans la nuit que ses mains leur ont donné, Œdipe, le roi déchu, prononce au milieu d'un repas une malédiction qui creuse plus avant encore celle lancée par Pélops. S'enivrant de vin d'Arcadie, Polynice et Étéocle se chamaillent et, en toute insolence, s'approprient un morceau de gibier qui, au roi seul, revient. Ses yeux crevés voient la viande briller comme de l'or, atterrir dans la bouche de ses fils. Ses yeux éteints saignent sous l'affront. La royauté bafouée se réveille sous la forme d'une sentence qu'Œdipe hurle d'une voix qui ne lui appartient pas, la voix de ses yeux embrochés : ceux qui oublient que leur père est roi seront maudits et voués à s'entretuer.

Œdipe leur a donné la vie, il la leur reprend. Leur futur est scellé. Pourrie de partout, la lignée s'entredévorera. Les frères s'enlaceront dans la mort de n'avoir pu le faire dans la vie. Un morceau de gibier a taillé le destin dans une étoffe de ronces. L'âme d'Œdipe est en haillons. Sa race sera encalminée. Le corps des Labdacides est trop petit pour les tempêtes qui y rugissent. Œdipe met à mort ceux dont il descend et ceux qui, de lui, descendent. Une servante vient annoncer que le ciel a réduit le soleil au silence. Les cicatrices des yeux de mon père se sont réveillées, la saison de la chasse ouvre ses portes. Les murs de Thèbes suinteront bientôt le pus et la misère. La guerre incestueuse des frères se prépare. Que mon cœur soit les fourreaux qui cèleront les épées d'Étéocle et de Polynice…

Cadmos, mon ancêtre, toi qui, venu de Phénicie, fus le fondateur de Thèbes, fais-moi voir la mer. Si la terre ne veut pas des Labdacides, qu'une vague en forme d'aile offre l'hospitalité à mon père et moi. Mon ventre est déjà ce champ de bataille où Étéocle et Polynice vont s'affronter jusqu'à la mort. Seule la beauté d'Ismène me calme ; ses cheveux dénoués caressent ses épaules qui ondulent comme celles de Jocaste. Moi, je n'ondule pas, je tranche. Ismène serait-elle la seule à ne pas être éclaboussée par tout ce sang ? Téter du sang, téter la mort, voilà ce qu'on nous offrit. Lance-moi une pierre au front, servante. Le front des Labdacides est un mur d'argent qui pleure mais ne se brise pas. Lance-moi ta joie, Ismène, pour qu'à mon désarroi, je ne me pende. L'odeur des champs brûlés m'appelle. Je m'élance, la tête dans le futur, le cœur dans mon enfance.

La terre sèche attend la pluie qui, depuis des mois, oublie d'arroser Thèbes. Sur les bords des chemins, je cherche des lilas, des genêts pour couronner Ismène, des centaurées dont emplir ma bouche pour qu'elle ne s'épuise en cris. Bientôt, les sept portes de Thèbes ne seront plus qu'un rêve des dieux et le cauchemar des hommes. Mes prières, je les sème plus droites que ma lance, j'invoque l'aide du soleil, je le supplie de dépêcher sept astres de feu devant chaque porte de Thèbes avant que mes frères ne rejoignent Hadès et les rives glabres du Léthé.

Depuis des années, Œdipe et moi, nous n'avons plus pour royaume que l'errance à travers la Grèce. Un seul nom a pourtant mis fin à nos pérégrinations, un nom aussi doux que la contrée qu'il enserre en ses trois syllabes : Colone, terre vide de vagues mais riche en déesses, qui étire ses forêts entre les vivants et les morts. Depuis que mes frères ont chassé père de sa résidence royale, toute odeur, tout chant, tout vent lui apportent ce palais dont on l'a banni, si bien que Thèbes n'est plus en Béotie mais suit mon père comme son ombre. En exilant Œdipe, on a chassé Thèbes de cette terre où Dionysos et Héraclès virent le jour. Hormis Thèbes et moi, qui fut fidèle à cet homme qui commit les pires des crimes sans être responsable d'aucun, lui qui porte aujourd'hui dans ses yeux le deuil de ses géniteurs, lui dont l'âme est en berne parce que les dieux ont accablé notre race d'une haine fatale ?

Je coupe mes cheveux pour fuir la tentation de m'y pendre, j'appelle les caresses que la chevelure d'Ismène prodigue à mes seins. Quelle nourriture pour ma bouche qui a faim des lèvres de ma sœur et qui n'aspire qu'à manger le nom des Labdacides pour que, par lui, nous ne soyons plus dévorés ? À chacune des portes de Thèbes, je me posterai sous la forme d'une statuette de façon à ce qu'aucun chef argien choisi par Polynice ne prenne d'assaut la ville érigée par Cadmos. Mes frères qui ont fait d'Œdipe ce mendiant dont je suis le bâton-pèlerin ne régneront bientôt plus que sur leur sépulture. Accroché au trône, l'aîné Étéocle refuse de céder la place à son frère après un an de règne alors que le pacte stipulait l'alternance. Les plaines de Thèbes grondent de guerriers harnachés comme des courtisanes d'Arès; aux côtés de Polynice, Tydée, grande hyène née des flancs du dieu Arès, le géant Hippomédon et quatre autres chefs trempent leurs armes dans la fureur. Entre Colone et Thèbes, mon corps voyage, mais ce matin, c'est sur ce sol thébain qui a vu mourir ma mère qu'il s'est crucifié et la chaste Antigone est devenue un champ de bataille, les cuisses labourées par le combat que se portent Ménalippe et Tydée, le ventre déchiré par les lances croisées de Polyphonte et de Capanée, ma voix expulsée d'elle-même par les coups que s'assènent Lasthénès et le devin Amphiaraos. Antigone, la nomade, l'amie de l'aube, est clouée au sol, deux lunes rouges se disputant sa bouche, y fichant une marée de lances, fracassant leurs forces égales contre ses lèvres d'adolescente, lesquelles lèvres distinguent sans la moindre hésitation les cnémides de Polynice et le casque d'Étéocle. Toute bouche est une tombe. Pendus à ma langue, mes frères vont expirer. Une autre bouche, celle de notre père, a prononcé l'extinction de ses descendants mâles.

Mon corps ne peut contrer la prédiction d'Œdipe : rien, en notre race, n'échappe à la souillure. J'aurais voulu être un lit nuptial pour Ismène, pas une crypte pour Étéocle et pour mon vaillant Polynice. Leur fallait-il en passer par la discorde pour s'enivrer d'inceste ? La voix de mon père m'appelle, mon corps déserte Thèbes et revient à Colone. Un Labdacide ne meurt jamais seul. Je veux me glisser au milieu des Euménides qui vont emporter mon père. Moi, qui, enfant, enviais Œdipe d'être le mari de ma mère, moi qui pétris la terre mieux que le potier car de terre et de feu je suis faite, je dois conduire mon père vers la délivrance, frotter sur ses pieds usés les feuilles de balsamier qui lui rendront la mort accueillante là où la vie lui fut hostile.

Quel aréopage de l'Olympe mettra fin à la perdition à laquelle les dieux vouent les Labdacides ? Qui acquittera notre race infortunée ? Le roi Thésée qui, sur Athènes et Colone, règne a promis à mon père un sépulcre dont le lieu doit être tenu secret. Du haut de sa vieillesse, Œdipe me dit adieu. Sa main parricide, sa main incestueuse, royale, sa main poète se pose une dernière fois sur mon épaule. Les déesses qui l'appellent le délivrent de la vengeance dont les dieux ont poursuivi notre famille. Vierge d'hommes, Antigone est un chœur à elle toute seule, le coryphée des bois et des rivières. Chez nous, le jeudi vient avant le mercredi comme l'enfant vient avant le père car les Labdacides ont pour raison leurs envies bouclées comme des jacinthes. Dans une forêt aussi dense que ses pensées, mon père s'enfonce. Une vague verte, sur lui, se referme.

Prison de Stammheim, Jan-Carl Raspe et Gudrun Ensslin, 1977.

ANTIGONE, MA SŒUR (III)

La mort me fait des signes de bienvenue, m'invitant à rejoindre mon père et mes frères. Peut-être l'heure sonnant la fin des Labdacides est-elle venue ? Peut-être devons-nous poursuivre nos agapes sur les plaines du Tartare ? Étrangers à la loi des hommes, nous ne nous plierons pas à celle des morts. Ma chair est une eau sauvage... Entre l'abandon à la mort et le retour à Thèbes, je balance, oscillant comme l'écharpe au bout de laquelle ma mère s'est pendue. Je suis l'écharpe qui enserre Jocaste, c'est mon amour qui l'étrangle, c'est ma passion qu'elle a voulu fuir. Je dois quitter Colone, m'éloigner de cette lumière d'Attique qui meurt sur mes paupières et transforme mes yeux en tombes. Thèbes m'appelle, sa voix l'emporte, la mort attendra un peu. Sans mon père, sans Étéocle et sans Polynice, je m'embarque sur le navire des jours. Je suis la fille du roi aux pieds troués. Je m'élance sur la seule route qui mène à la ville née des mains de Cadmos, la route qui, empruntant le temps dans les deux sens, fait passer la mère dans le fils. Au-dessus des murailles d'un ocre sale qui protègent ma ville, des vautours tournoient. Accroupie sous la première porte, une mendiante dépèce un oiseau et me tend un bout de chair pâle. Il n'y a pas de place pour mes frères morts au milieu des bruits de fête qui montent des ruelles.

Thèbes se vautre dans l'ivresse de la victoire, Thèbes se bâfre des cadavres des Argiens menés par Polynice. Étroite est la mémoire de la guerre qui compte pour rien le trépas de son chef Étéocle. Personne ne me reconnaît. Mes cheveux ébouriffés forment un nid où la terre se mêle aux épines. Un soldat m'intime de reculer, me barre l'entrée du palais. Sa lance frôle ma poitrine de garçon, de jeune berger sur laquelle Ismène aime poser sa tête. Je suis une eau en crue, une eau sans berge ; le soldat n'a plus entre ses doigts que mon ombre qui bondit devant ses yeux incrédules. Par une porte dérobée, je pénètre au cœur de mon enfance, heureuse d'entendre les chants des nourrices monter du bassin circulaire orné de mosaïques qui terrifiaient ma sœur. Le premier à m'accueillir est un miroir avec lequel Ismène a dialogué nuit et jour, confiant à son reflet ce qu'elle refusait de me livrer. Mes joues sont creusées, les baisers d'Ismène les rempliront. Je plonge ma chevelure dans l'eau. Relevant la tête, ma sœur est là. Nous tombons dans les bras l'une de l'autre. Mes lèvres cueillent les siennes avant d'embrasser son cou, ses épaules dénudées.

Ma main ferme les yeux d'Ismène. La chanson de l'eau compose notre couche nuptiale. Je ramène ma sœur, mon amante sur la terre ferme. La race d'Œdipe connaît enfin la lumière ; d'Ismène à Antigone, il n'y a plus de différence. Quel destin pour une race née ivre dans un monde sobre si ce n'est de faire de la vie une ébriété permanente ? Les seins de ma sœur, son ventre s'arrondissent sous mes mains qui pleurent mon père et chantent mon amante. Cessant d'être aveugles, mes doigts traversent notre naissance et mènent Ismène et sa blondeur au cœur du mot « Labdacides » ; mes doigts s'évanouissent dans son sexe humide comme mon père s'est évanoui dans un bois de Colone.

À tort, j'ai cru à un paradis pour les derniers Labdacides. À raison, j'ai vu le danger surgir sous la forme de cothurnes surmontés de jambes épaisses. Créon est là. D'un baiser, je scelle mes lèvres à celles d'Ismène, prête à affronter l'ennemi. Les chaussures de mon oncle piétinent les cheveux bouclés d'Ismène. Son membre flapi se dresse à la vue de ma poitrine de garçon, me confirmant que lui aussi est frère des goûts de Laïos… Ses doigts bagués bégaient sur sa panse de femme enceinte. Je griffe ce ventre qui recèle le cadavre de ma mère, je mords ce mausolée où mon oncle a enfermé sa sœur Jocaste, je rassemble ma colère comme j'ai explosé d'amour, luttant contre la main de Créon qui emprisonne mon cou et s'amuse à le presser comme un fruit que l'on dégorge de sa sève. Je lui hurle que si je finis comme a fini ma mère, strangulée par la folie, ce ne sera pas sous ses mains potelées, mais pendue à mon nom Antigone. Ismène pleure, je veux rendre ses larmes au néant, je veux sa bouche cousue à la mienne pour l'éternité. Ma poitrine de guerrier ensorcelle Créon, le fils de Ménécée. Les Furies, de lui, s'emparent, Alecto, Tisiphone et Mégère portent son délire à son comble. En Antigone, il voit Ganymède. Comme Zeus, il se transforme en aigle pour m'immobiliser entre ses ailes. Mes lèvres brûlent d'accueillir les pleurs d'Ismène alors qu'à leurs commissures la langue de Créon bourdonne comme un taon… Comprimé contre une colonne dont les feuilles d'acanthe m'entaillent le dos, mon corps n'existe plus. Les lourdes lèvres de mon oncle s'emparent des miennes.

L'aigle Créon a autant de becs que de serres. D'un moment à l'autre, son ventre va accoucher de ma mère Jocaste qu'il emprisonne. Je mords son épaule qui m'entrave, je crache sur son crâne dégarni. Haïssant le sexe de la femme, mon oncle me prend comme il embroche les éphèbes. Que le ciel me tende un bout de sa voûte pour que je m'y pende, que la Grèce referme sa gueule pourrie et nous expulse, Ismène et moi, sur la rive des sœurs amantes... Tandis que Créon, en moi, descend, je monte dans les yeux clos de mon père. La folie de ma race a plus de sagesse que la tempête du monde. Antigone n'est plus qu'une étoile de mer clouée sur le portail des Enfers. Je suis le pâtre-mouton qui enfièvre le loup. Est-ce dans Œdipe, dans Jocaste que Créon tente de me faire retourner ? Jalouse-t-il nos naissances larges et circulaires où dans la fleur repasse le bourgeon ? Envie-t-il la beauté de nos saisons qui jouent à saute-mouton ? De la nuit, j'ai hérité la chevelure d'ébène. Mais, une autre nuit bâillonne la mienne, me plongeant dans l'impuissance. Il n'y a pas de contraire à « demain » pour les Labdacides puisque chez nous le temps est une ritournelle aussi ronde que la poitrine d'Ismène. Il n'est pour nous de sexe qui ne contienne son autre. Prends garde, Créon, à ce qu'en moi la femme ne remonte, parée des attributs que tu abhorres et dont mon corps semble vierge... Roucoulant comme une courtisane, mon oncle me tamponne jusqu'à me déloger de moi. L'aigle pansu se vide de ses forces, sa queue hoquette avant de redevenir limace molle.

Les cothurnes s'éloignent en sifflant, rejoignant le peuple de Thèbes qui a chassé mon père et qui oublie ses morts. Entourant mes épaules, les bras d'Ismène me délivrent. À la surface de l'eau du bassin, les yeux vides d'Œdipe roulent, paupières retroussées afin de voir l'envers du temps dans lequel Créon m'a fait chuter. Du dehors, nous parviennent des musiques trépidantes, des râles d'ivrognes, trahissant l'ingratitude des Thébains qui, sur le cadavre d'Étéocle, érigent le grand festin des vivants oublieux des défunts. Ma tête roule dans la chevelure d'Ismène. Créon, tu déféqueras par les oreilles ; par ces deux orifices, tu mourras tandis que, pensionnaire du Tartare, échanson de Titans voraces, des bancs d'écrevisses suceront à jamais ton membre. Sortant du palais, je m'effraie de la menace qui sourd du soleil, du ciel, des plaines.

Bien souvent, le pouvoir appartient aux monstres qui, de son exercice sans limites, s'enivrent et se repaissent. Il n'attend jamais longtemps ceux qui assassinent, protégés par la raison d'état qu'ils invoquent à chacun de leurs carnages. Déshonorant le trône de Thèbes, Créon a ordonné des funérailles royales pour Étéocle et l'interdiction de toute sépulture pour Polynice. Le voilà deux fois assassin, le voilà à vouloir régenter le monde des morts, à faire tomber sous son autorité les vivants comme les disparus, les hommes comme les dieux. Les Labdacides n'ont cure ni des séparations entre générations, ni des divisions entre sexes, mais jamais ils n'ont confondu les morts et les vivants, jamais Œdipe n'a étendu sa juridiction sur les âmes défuntes ni séparé les bons trépassés des autres. Puisque tout cadavre est innocent, puisqu'un défunt en vaut un autre, le décret de Créon est impie. Bientôt viendra le temps où mon oncle imposera sa loi aux cavalcades des nuages, aux grondements de la rivière. Lui, si peu homme, veut réduire à l'état d'esclave tout ce qui vit. La cité est sa jument, il la cravache lorsqu'elle se cabre, la flatte lorsqu'elle lui est toute soumise.

Ce n'est qu'à huis clos que la race d'Œdipe se livre à ses folies, ne terrassant que sa propre liberté, jamais celle de son peuple, mais c'est sous sa tyrannie que Créon fait tomber les Thébains comme les Argiens, l'ici-bas comme l'au-delà. À Tantale, il fut interdit de se désaltérer ; à Créon, les dieux permettent d'assouvir sa soif que rien pourtant ne comble mais que chaque crime aiguise.

Jamais le monde ne marchera dans l'obéissance à la cadence de ton sexe, Créon. La jeunesse de Polynice ne sera guère livrée aux vautours et aux chiens, le soleil ne rongera point sa chair. Le derme de tous les Labdacides ne forme qu'une seule peau. La terre s'ouvrira pour Polynice comme une mère retrouve son enfant. Accompagné de mes larmes, il retournera vers sa naissance, mes chants raidissant son membre. Qui sera l'ami des morts si tous écoutent Créon ? Peu m'importe que je perde la vie si, fêté, parfumé, mon frère entre dans l'ailleurs. Qu'Ismène vive et réchauffe mon corps les jours de pleine lune, que, jusqu'à la fin de ma mort, elle ouvre ma poitrine de jeune homme à ses lèvres gourmandes…

Ton royaume, Créon, s'arrête où celui des morts commence ; ton royaume n'est qu'une petite noix creuse qui se lézarde sous le coup de nos révoltes. Tes lois ordonnent l'inique, Antigone n'y consent. Sur les murailles de cette ville que tu étouffes, tes édits pourriront, épandus comme du crottin, lacérés par des oiseaux de proie, dispersés au vent par des satyres aux yeux plein de foutre. Si peu homme que tu sois Créon, toi qui as la débauche triste, prépare-toi à affronter dans l'arène que tu nous réserves un Minotaure qui aura pour nom la race des Labdacides et pour corps celui d'un dragon.

ANTIGONE, MA SŒUR (IV)

Voilà des heures que je suis les rapaces du regard, cherchant mon frère sur cette terre où l'herbe rare le dispute aux pierres, bondissant de déception en déception, le bouclier d'enfant de Polynice me servant à la fois d'amulette et de courage. Les fleurs ont triste figure. Tout, ici, porte le deuil de mon frère. Soudain, un chien à la queue sectionnée me barre le passage. Le bouclier le terrorise, je joue à Persée si bien que le chien-Méduse détale. Les vêtements déchirés, le visage tourné vers moi, Polynice repose sur une terre aride, indigne de sa beauté de guerrier. À la vue de son flanc tailladé, je hurle en direction des charognards qui voltigent dans un ciel coupable. Mes cris bousculent l'ordonnance de Créon, mes cris renversent l'ordre du temps, regagnant le radeau de l'enfance où mes frères et moi nous nous disputions les genoux de notre mère tandis qu'Ismène lui nouait les cheveux. Par mes cris, j'offre à Polynice un thrène qui panse sa chair arrachée. Je déchire un bout de mon chiton et frotte le sang séché. Les buissons rampent, honteux d'avoir abandonné ce guerrier au vent et à l'oubli, d'avoir laissé aux chiens ce qui revenait aux dieux. La mort est un bec sans corps, une saison de silence qui aiguise ses crocs dans les chairs tendres.

Même le vent qui s'est levé cherche à dévorer mon frère, à faire errer son âme au milieu des serpents et des moustiques, grignotant çà et là un avant-bras ou une cuisse, aidé en sa tâche par le soleil, par les chacals, par les arbustes qui tous veulent brouter Polynice. Je n'ai pas assez de mes dix doigts pour le recouvrir de terre. Je veux être une explosion tellurique qui ensevelisse mon frère dans un berceau. Je n'aurai d'autre enfant que Polynice que je porterai dans mon ventre maigre afin que celui-ci soit sa dernière demeure. Enceinte d'un mort, tel est mon choix, bien que j'aie peur que mon frère ne s'y sente à l'étroit et ne puisse dérouler ses coups, ses rires dans cette crypte que je lui offre. Mes doigts, mes dents recrachent la terre sur son corps. Au monde, je livre l'alphabet phénicien de la sœur qui aime sa sœur et qui donne abri à son frère.

Tout est prêt pour les funérailles, le linceul de velours que le ciel découpe en suivant les courbes de Polynice, les pleureuses qui, de leurs lamentations, forment un pont qui mènera le disparu vers l'au-

delà... Comment as-tu pu croire, Créon, que la terre de Thèbes ne pleurerait pas Polynice, que les cascades, les arbres se soustrairaient aux obsèques, fuyant les honneurs à rendre à une dépouille mortelle ? La nature n'a d'yeux que pour mon geste ; de dévoratrice elle est devenue prêtresse. Et tandis que mon ventre se prépare à devenir un mausolée pour celui qui m'a appris la course, le maniement des armes, l'ivresse de la lutte, mes mains forment un nid où accueillir ses mots orphelins. Je dresse mon corps rebelle à devenir une nécropole, je l'assujettis à sa mission, m'efforçant de déchirer mon nombril pour y glisser le compagnon de mon enfance. Étranger au commerce du plaisir avec les hommes, mon corps hébergera le seul être qui, plus qu'un homme, fut un frère. Un frère, un soldat aussi qui, voulant reconquérir Thèbes, expira dans les bras de son aîné, l'un et l'autre se frappant afin de se rejoindre dans un sommeil de pierre. L'on raconte que dans la bouche d'Étéocle les boucles de Polynice reposaient, que le soleil se voila la face, obscurcissant le ciel, pour ne pas voir ni donner à voir cette étrange danse. La terre, en deux, s'ouvre pour y loger Polynice ; lentement, le sol s'évase comme éclatent les fruits trop mûrs. Tout, autour de moi, tremble. Même si le vent chuchote « que ce traître aille se faire fossoyer ailleurs », je dois secouer ce décor afin qu'il devienne le fossoyeur d'un des miens.

Moi, Antigone, je suis la mère deux fois parturiente qui porte son enfant mort, son frère défunt.

La dernière pelletée dont je veux le couvrir est déviée par une voix rauque qui, derrière moi, retentit. Je suis celle qui insiste dans la vie comme dans la mort. Je cueille de mes lèvres la terre qui embaume mon frère. Une lance me tient en joue, mais, au bout de l'arme il n'y a personne. Le garde chauve et gras n'est qu'une effluve du désert. J'ai tout le temps pour habiller Polynice, pour le vêtir des flammes qui rongent les Labdacides. J'ai des carrières de sable, des terriers, des pâturages à gratter pour qu'il retourne dans la vulve de notre mère. Peu m'importe que la pique s'enfonce dans mon cou puisque Polynice s'enfonce au cœur de la terre. Une main me tire par les cheveux, m'arrachant à mon frère, mais au bout de la main il n'y a personne. De force, on me traîne comme un ver sur cette rocaille étranglée de lumière, on brandit mon visage couvert de boue devant une foule de Thébains en colère. Ni les gardes, ni le peuple ne me reconnaissent. Jetée aux pieds de Créon, ma tête heurte son mollet. La fureur qui s'empare de mon oncle n'épargne ni mon visage, ni mon bas-ventre. Je méprise les coups qu'il distribue à l'aveugle. Fais pleuvoir ta rage, Créon. De toutes façons tu as perdu, de toutes façons, je me donnerai moi-même la mort que tu me réserves. Même trépassée, je dresserai mon « non ! » devant ton sexe aussi baveux que ton esprit.

Me dérobant aux gardes, Créon me conduit dans un cachot qui n'a jamais connu la lumière du jour. Je le nargue, je l'insulte. Y aurait-il de la femme en lui pour promener dans la vie pareil embonpoint ? Tu ne peux me soustraire davantage que ma mort, Créon. La sentence qui tombe sur mes épaules décharnées n'atteint plus rien en moi puisque je m'apprête à partir à ma guise, à l'heure de mon choix. Le temps que ce jour meure et qu'un autre vienne à naître, je serai enterrée vivante, aspirée par le ventre de la terre. Une dernière fois, je fais courir la splendeur, la blondeur de ma sœur sur mon âme bondissante qu'aucun fer ne pourra crucifier. Pourtant, j'ai peur de ne pouvoir franchir les portes de la mort sans le concours des lèvres d'Ismène. Le jour qui arrive est une aile plombée, un index qui, en ma gorge, descend et me mène aux côtés de mes infortunés parents et de mes pauvres frères. À toi, la lumière, Ismène ; à moi, la grande scène invisible où les mots éclatent, où les visages, de leurs yeux, se vident. Arrivant la quatrième, après Œdipe, Étéocle et Polynice, ceux-ci me laisseront-ils une place dans le ventre de Jocaste ? Pourrais-je me blottir au sud tandis que mon père occupera le nord et que mes frères se disputeront l'orient et le ponant ?

Mal ajusté à la nuit qui le précède, le matin se lève. Un Créon rutilant sous des parures dorées, saupoudré de parfums musqués et de fard, ouvre la porte. Il me fait disparaître sous une tunique à larges plis. Sur ma révolte sans limites, il balance sa barbe parsemée d'émeraudes, son cou bouffi orné d'un collier de topazes. Sous une arche de huées, je m'avance, cherchant Ismène des yeux. Au pied d'un olivier courbé en deux, des gardes descellent une dalle de marbre pas plus grande qu'un berceau. Thèbes vacille, Thèbes flageole. Ma dernière image du dehors c'est Ouranos qui gémit après sa virilité, maudissant son fils Cronos de lui avoir tranché les testicules. La tombe bat comme un cœur de Titan, la tombe est vivante, je tremble d'y descendre. Le pied grassouillet de Créon m'enfonce dans mon caveau. Le patronyme des Labdacides ne sera pas une fosse de boue et de sang ; le nom de ma race s'ouvrira et libérera des vergers de saphir et de jade. Le ciel au-dessus de ma tête n'est plus, la lourde pierre sur moi s'est refermée.

Les dieux ont joué aux osselets avec les yeux de mon père et ont resserré l'écharpe autour du cou de ma mère. Dormez, les démiurges. La main que je retourne contre moi n'a pas besoin de votre aide. Je taillade la tunique en longues lamelles. Merci Créon, chacune est une vague qui me dit « viens », toutes, mises bout à bout, forment la constellation des Pléiades. Quelques dés de terre que je cale sous mes ongles m'empêcheront de partir seule. Le geste de Jocaste, je me l'approprie. Les pendus, dit-on, continuent à jouir dans la mort. Enfant, j'ai vu ma mère se balancer comme un fruit au bout de sa longue écharpe rouge. Enfant, j'ai vu mon père imposer à ses yeux une nuit définitive.

Pour la première fois, Antigone se maquille pour entrer digne dans la mort. De terre, je m'enduis les paupières et recouvre mes lèvres. Dormez, dieux et nymphes, ma main qui aménage pour mon cou une dernière caresse n'est pas l'instrument d'un oracle. Ta condamnation à mort vient trop tard, Créon. Librement, je m'apprête à rejoindre les miens, à me blottir contre la muraille du songe sans retour. Nous, les Labdacides, nous ne connaissons qu'une ombre qui nous précède mais, moi, Antigone, déliée de toute fatalité, je sculpte mon destin et vais au-devant de ma mort. Trop tard, Créon, je me donne l'adieu que tu voulais m'infliger et te crache ma dernière révolte que jamais tu n'éteindras. Prends garde. Le sexe qui a troué une lune noire sera troué par le soleil.

Il s'agit pour nous de montrer ici, à partir de l'internationalisation du mouvement du capital, la dialectique par laquelle les gouvernements soumis à la domination de l'impérialisme américain se transforment en un nouveau fascisme, organisé à l'échelon international, et par là la nouvelle fonction des gouvernements à partir des contraintes de défensive sur le plan stratégique dans lesquelles se trouve l'impérialisme depuis sa défaite au Vietnam (...) à partir du moment où on a déterminé la réaction comme processus organisé et projeté sur le plan *international*, la stratégie révolutionnaire *doit* être internationaliste (...) cela signifie concrètement que la stratégie du *Manifeste* : « Prolétaires de tous les pays, unissez-vous ! » a retrouvé un nouveau ferment sur le plan de l'organisation dans la guérilla qui anticipe sur la reconstruction internationale de la politique prolétarienne. La forme d'organisation de l'internationalisme prolétarien dans les centres du capital sera la guérilla dans les métropoles.

Ulrike Meinhof, *La situation de la RFA,* fin avril 1976.

RETOUR SUR L'ADIEU AUX MOTS

Prison de Stuttgart-Stammheim, avril 1976.

Je m'en veux d'avoir débordé la lutte armée en convoquant Antigone devant mes futurs juges, d'avoir halluciné la race maudite des Labdacides alors qu'il me suffisait de dépeindre les Créon allemands qui, aujourd'hui, perpétuent le régime nazi. Le temps d'un rêve éveillé, j'ai reconduit la guérilla à son foyer absolu, Antigone, celle par qui le monde est entré en résistance. Mais j'ai glissé, somnambule, dans la fille d'Œdipe alors que la guérilla intime de garder le cap sur le réel, loin de toute vapeur hynotique. L'Histoire ayant une fâcheuse tendance à la répétition, les plis du despotisme ont alourdi son corps de bourrelets. Même aux révolutionnaires, l'Histoire lance des leurres, leur faisant croire qu'ils en sont la seule et unique incarnation.

La vieille rengaine des bons morts et des mauvais morts, les fascistes de tout temps l'ont fredonnée entre deux exécutions. Le partage de Créon entre soldats tombés pour la patrie et ennemis de l'État, j'entends l'Allemagne s'y rallier. La condamnation qui frappe jusque dans la mort ceux qui se sont insurgés contre le système, c'est ici et maintenant. Je vois venir le jour où Andreas, Gudrun, Jan-Carl et moi serons tous des Polynice privés de sépultures. L'État refusera un tombeau pour nos corps. Il n'y aura pas de place pour nos cadavres dans ce sol engraissé par les millions de morts des deux guerres mondiales car l'on craindra que la révolution, encouragée par notre présence, ne se propage sous terre. Mais si l'Histoire se répète, face à chaque Créon se dressera une Antigone. Andreas ne croit qu'au coup par coup et néglige vision d'ensemble et trajectoires. Gudrun, avec sa maladie de l'absolu, ne vibre qu'à l'« *autre état* » dont parle Musil, rayant naissance, passé, corps ancien pour entrer vierge dans le Big Bang de l'existence. L'un et l'autre oublient que le breuvage final n'enivrera les hommes que si l'on veille aux justes dosages. La limite d'Andreas, c'est son obsession de la visibilité, sa rage à faire entrer la clandestinité dans la lumière, sa soumission de l'action aux feux de la rampe. La limite de Gudrun, c'est son mirage d'une transfiguration du présent au terme d'un processus alchimique.

J'ai poussé le verbe aussi loin qu'il pouvait aller. Aux bouches qui mentent et déchiquettent, j'ai opposé des flots de mots en révolte, sûre que des phrases pourraient arrêter la course au réarmement, la guerre au Vietnam, la misère du Tiers-Monde. Peu de gens ont cru comme je l'ai fait à la puissance de la parole ; peu de gens se sont sentis trahis comme je l'ai été lorsque j'ai vu les discours de paix recyclés, broyés par la machine de la guerre, les tracts de la révolte pris dans la souricière du pouvoir. Vint le jour où il m'apparut que faire monter les mots sur les barricades non seulement maintenait dans l'impuissance mais signait une collaboration passive. Vint le jour où une évidence me démembra avant de me faire renaître ailleurs : dans l'Allemagne d'après-guerre, se battre avec la seule force du langage revenait à faire le jeu de l'ennemi. Avec douleur, je quittai les mots qui étaient pour moi le tout du monde, leur promettant de m'y rallier à nouveau lorsque le passage à l'action aurait redessiné la situation. C'était comme les laisser en jachère, les laisser reposer temporairement au fond de moi, les soustraire à un État qui les piétinait.

Dans le cours de l'Histoire, il est des périodes où les mots sont plongés dans une nuit de silence. Ceux qui les vénèrent les rangent alors, à regret, dans des urnes provisoires, attendant des temps meilleurs. En ces périodes, il faut être avare de paroles et riche en actes, préférer le langage des armes à l'arme du langage. Sourde la génération des pères, sourds les faux représentants du peuple si bien que seul le bruit des bombes peut leur rendre l'ouïe… On n'éteint pas un incendie avec des poèmes, on ne renverse pas le shah d'Iran avec des banderoles et des manifestes. S'il avait laissé les fusils à leur sommeil et combattu avec le seul *Petit Livre Rouge*, Mao n'aurait réussi à sortir la Chine de sa féodalité impériale. Jamais, je n'en ai voulu aux mots de n'avoir pu abattre l'oppression. En rien, ils n'ont failli. Tout au plus, ont-ils dû être déportés vers l'action muette. Un scarabée tombé sur le dos meurt si personne ne le redresse. L'écriture, la parole sont ce scarabée que les armes remettent à l'endroit. En Allemagne, une résistance passive à la Gandhi serait comme une catapulte de fleurs lancée sur les chambres à gaz. Avant d'ouvrir la bouche, les Gandhi, les Martin Luther King seraient réduits en cendres, comme l'a été Rudi Dutschke. Qui grimpe dans l'au-delà des mots, qui regagne leur ciel découvre la terre à étreindre. Les sillons de la plume et ceux des balles regardent alors dans la même direction.

Juin 1972-avril 1976, voilà presque quatre ans que je me débats avec les matins blêmes de la prison, la tête mordue par la lumière, les gestes épiés par les caméras, les pensées enregistrées par des micros captant le mouvement des neurones, les variations de l'humeur, voilà presque quatre ans que mon corps explose, bourdonne, attaqué par la blancheur, par le silence. Le verdict qu'on nous prépare témoigne de la peur qu'on leur inspire. Il y a quelques semaines, tu m'accusais, Gudrun, de m'être égarée dans l'action, d'agencer une stratégie de lutte comme on agence un roman, de confondre la révolution et le sermon. Tu sais pourtant qu'à mes yeux, le registre de la foi défendu par Luther pèche par un défaut. Il plonge dans le quiétisme et la résignation. Jamais, je n'ai varié sur ce point : la foi n'est rien sans les œuvres. Je te le redis, la tentation d'incliner le politique vers la religion de l'absolu te démange là où elle me laisse froide. C'est en toi que tu dois craindre un tel glissement de terrain, une tectonique des plans. Cesse de me planter des haies d'aubépine dans mon crâne, ma poitrine. Si ton corps ne peut héberger ton esprit, demande asile chez Andreas. Penche-toi sur les compatibilités zodiacales entre Andreas, toi et moi, entre la chèvre d'eau, le dragon de métal et le chien de bois. L'astrologie te parlera peut-être davantage que la science politique. Dresse tes cartes du ciel et laisse-nous la terre.

Il est toutefois utile de mettre face à face positions théologiques et positions politiques afin de ne pas se leurrer sur l'axe qu'on suit. Je dégagerais trois doctrines religieuses auxquelles je ferais correspondre trois conceptions politiques. Pour Pélage, le libre-arbitre peut tout, de sorte que la grâce divine est une imposture, voire un fléau. Pour saint Augustin, l'homme est libre mais a besoin de la grâce de Dieu pour se sauver. Pour Luther, l'homme est dominé par le serf-arbitre et ne trouve le salut qu'en s'en remettant à la toute-puissance de Dieu. Sur le versant politique, on a trois répondants. En écho à Pélage, on soutiendra que les masses se sauvent elles-mêmes ; en harmonie avec saint Augustin, on avancera que les masses seront libérées par une avant-garde révolutionnaire ; dans la ligne de Luther, on dira que les masses ne connaîtront jamais la libération, si ce n'est dans la cité céleste. Tu accoleras aisément des noms aux trois manières d'envisager l'émancipation et tu reconnaîtras sans peine la voie qui est celle de la RAF.

Va faire un tour du côté des anges si ça maintient ta flamme vive, mais laisse-moi à ma dimension, la terre que l'on sarcle dans le sens de la liberté. Il est deux façons au moins d'aimer la tombée du jour. Tu aimes la nuit car de la terre au ciel on passe sans transition, quittant les frontières, le relatif, les accommodements qui ternissent le jour. Moi, j'aime la nuit car chaque étoile qui s'y lève a, sur la terre, sa sœur en révolte, car entre l'ici-bas et le là-haut, il y a alliance et non confusion. Des escaliers, une échelle de Jacob te semblent bien prosaïques lorsqu'il s'agit d'atteindre ce point d'ébullition où tout change de signe, cette zone de turbulences où la révolution défait les structures anciennes. Brise l'escabelle lorsqu'elle a servi, si tu veux, mais laisse d'abord le peuple la gravir. Ton corps a beau se nourrir, ton esprit reste pris dans les vapeurs du jeûne. Aspires-tu à une grève de la faim perpétuellement reconduite de songe en songe ?

Ces précisions apportées, peux-tu me dire à quelle occasion Bettina Brentano a rencontré Marx et si tu possèdes l'ouvrage *Ce Livre appartient au roi* dans lequel elle se penche sur la question du prolétariat allemand ? Il n'est pas interdit d'être folle de Gœthe et de lutter pour le socialisme puisque Bettina Brentano a allié les deux. Tu ne le sais d'ailleurs que trop bien, toi qui t'es vouée à la cause révolutionnaire tout en étant folle d'un Gœthe qui, à sa façon, écrit l'Allemagne. Tâche de ne pas finir comme Karoline von Günderode, l'amie de Bettina Brentano qui, brûlée par les malentendus de l'amour, mit fin à ses jours…

Pour le procès, je prépare un texte, non de défense mais d'accusation, un texte qui tournoiera comme un condor au-dessus des juges, au-dessus de leurs crânes frappés d'amnésie, qui criera combien il fallait que des hommes et des femmes accomplissent ce qu'on a fait, qu'à ce prix seulement, l'Allemagne se réveillerait, rompant le somnambulisme dans lequel elle est plongée. Il n'y a que dans les contes qu'un baiser déposé par un prince charmant réveille la belle au bois dormant. Comme tu le sais, Gudrun, les contes ont toujours fait l'objet de ma détestation. D'ailleurs, vos noms de code, Hans et Grete, prélevés dans Grimm, sont risibles en sus d'être peu fondés. Je ne revins pas sur cette querelle. Libre à toi de t'enivrer des contes d'Andersen et des *Mille et Une Nuits* mais n'applique pas à la lutte armée leur morale débile…

Qui raconte la lutte armée doit laisser les blancs trouer le texte, les blancs formés par les bouches qu'on empêche de parler, les blancs laissés par les combattants que l'État a fait disparaître, les blancs aux contours mordus par des fers barbelés. Je disposerai mes blancs au milieu de mes mots, interdisant aux couleurs et aux sons de monter dans ces silences. Ma cellule n'est plus qu'une tombe de lumières. Carré blanc sur fond blanc, telle est la mort qu'on nous inflige. D'ailleurs, les poèmes de Mandelstam aussi serrés soient-ils sont grignotés par l'absence, par le souvenir des disparus et de la neige qu'ils laissent après leur passage. Ceux qui continuent notre action au-dehors et relancent nos flèches seront-ils sensibles à la sauvegarde de ce blanc ? Ne font-ils pas de la seule colère l'ingrédient de la lutte, oubliant de soupeser la justesse des moyens mais aussi celle des causes ? La lutte survit à ses militants, mais pas à ses dérapages. La non-coordination des actions, les cibles aveugles, l'instrumentalisation de la cause par d'autres intérêts, les vues trop courtes qui servent une violence trop longue, le crescendo dans les faits et le decrescendo dans la réflexion condamnent la guérilla à se trahir.

Deux dangers la menacent du dedans, d'une part, le durcissement, le déficit d'auto-critique, la confusion des objectifs et des moyens, d'autre part, le relâchement, la perte du sens des priorités. Dans le premier cas, la guérilla tourne à la guerre et recourt à cela même qu'elle combat, à savoir la brutalité du système. Dans le second cas, elle vire au jeu, au happening de foire et, amollie, s'enlise dans le vaudeville. La lutte doit déferler en suivant la leçon des marées. Que l'eau se change en ces rocs qu'elle fouette ou qu'elle se résorbe dans les méandres du sable et c'en est fini d'elle. Qu'elle perde de sa mobilité et se mette à ressembler à l'ennemi ou qu'elle se dissolve et se noie dans l'adversaire, elle n'a plus qu'à s'allonger dans la tombe. Étroite est la ligne que doit longer la révolution, même si ses portes d'entrée sont multiples. La leçon à tirer est l'inverse de celle de la femme de Loth. Les militants qui ne se retournent pas sur leurs actes sont changés en statues de sel. L'échiquier du monde bouge, l'oppression se pare d'autres visages et varie sa force de frappe, ses zones sinistrées ; quiconque n'a pas deux longueurs d'avance sur lui est perdu et ferait mieux de se livrer au jeu de l'oie. Toutes les alliances ne sont pas les bienvenues même si l'ennemi est commun. Les méthodes ne se valent pas car la manière de recouvrer la liberté perdue compte autant que le résultat et la justesse d'une cause est trop souvent compromise par la barbarie des moyens utilisés.

Au cours de l'évolution du système impérialiste mondial sous l'hégémonie du capital U.S. et de son expression politique et militaire — c'est-à-dire la politique extérieure américaine et son instrument principal, l'armée américaine — les U.S.A. ont créé, après 1945, trois États en dehors des U.S.A. pour servir de base opérationnelle à leur politique extérieure: la République fédérale allemande, la Corée du Sud et le Sud-Vietnam (...) Ce qui nous intéresse naturellement aussi, nous qui déterminons la politique révolutionnaire dans l'impérialisme par l'internationalisme prolétarien, c'est le rôle de la R.F.A. dans le système mondial du capital américain, qui d'Adenauer à Schmidt suit toujours la même ligne : anticommunisme sur les plans politique, éonomique et militaire, subordination de l'Europe de l'Ouest à la politique extérieure américaine (...) nous ne connaissons même aucun autre pays où la gauche se refuse d'une manière aussi obstinée à prendre conscience de sa propre histoire qui est indubitablement l'histoire de ses défaites. Cela ne signifie cependant pas que les combats qu'elle a menés n'aient pas un caractère sérieux et qu'ils ne méritent pas d'être étudiés.

Ulrike Meinhof, *Histoire de la RFA et de la gauche traditionnelle*, 4 mai 1976.

Plan du 7e étage de la prison de Stammheim.

BLANCS

Prison de Stuttgart-Stammheim, avril 1976.

L'isolement me force à proliférer. Me multiplier me permet d'alléger ma solitude. Sans diriger entièrement le processus, je fais remonter des pans de mon enfance, convoquant une Ulrike de quatre ans aux côtés d'une Ulrike adolescente si bien que je ne suis plus seule puisque toutes celles que j'ai été reviennent, formant une chaîne d'ancêtres un peu particuliers, emplissant ma cellule d'une foule indisciplinée. Ce qui s'inscrit en premier dans la mémoire, ce sont les sons et les odeurs qui, même engourdis, affluent au fil d'une scène banale, réveillant dans le corps des sensations qu'il avait reléguées au niveau des ombres. Ce matin, le grésillement de la radio a levé une à une les dalles du temps, me révélant le bruit mat que les premières neiges émettaient lorsque, craquant sous mes pieds d'enfant, elles se brisaient du dedans, Tombant en grappes, les premières neiges brûlaient mes yeux ;

le ballet d'hosties que balançait le ciel livrait une messe blanche qui, parfois, se muait en tempête. Un monde s'engloutissait, un autre naissait, le jardin se recouvrait d'une paupière que le soleil ouvrirait, on oubliait tout ce qui avait été pour ne plus voir que cette robe de mariée que le ciel avait jetée sur nos têtes.

La niche du chien, la haie d'aubépines, la mare mangée par la vase disparaissaient sous une cotte de mailles uniforme. Sur cet univers endormi, sur le corps de Blanche-Neige, je voulais être la première à poser mes pas. Durant des mois, j'attendais la rencontre de la neige et de mes pieds afin de sentir à la surface de la terre un grondement venu de ses gouffres. La nuit, j'observais la lune, persuadée que la neige était son œuvre. Ce matin, j'ai compris que le bruit de la neige foulée n'avait pas seulement émigré dans le chuintement de la radio mais avait survécu. Mais j'ai beau me tendre vers mes cinq ans, vers mes dix ans, la saveur de la neige me reste inaccessible. Je me revois faire le geste presque religieux de déposer des flocons sur ma langue, mais mes papilles demeurent mortes, n'enregistrant qu'un affolement de la mémoire. Frappée d'oubli, ma salive reflue. Si la neige tombe le jour de mon enterrement, délivrez-moi de mon cercueil et confiez-moi à elle. Moi, Ulrike, à qui on refuse des nuits obscures, moi, Ulrike, que l'on torture par un jour sans fin, je n'ai pas à faire remonter des bouts de sensations du fond de la nuit de mon enfance. Ils ressurgissent au détour d'une rêverie, d'une inattention, d'une échappée des sens.

De ma mère, plus que les expressions de son visage grignotées par le flou, me revient parfois l'odeur de lavande qui l'accompagnait, cette lavande qu'elle cueillait et dont elle glissait les branches dans son tablier bleu. De mon père, alors directeur du musée de la ville d'Iena et professeur d'histoire de l'art à l'académie des beaux-arts de Weimar, un tube de gouache, une odeur de cire, de térébenthine me rappellent violemment sa présence dont ne surnage aucune image. Iconoclastes, les jeux de la mémoire.... Au sein du temps, les odeurs et les sons forment des nappes immobiles qui, sans crier gare, à l'occasion d'une flânerie spirituelle, viennent percuter notre conscience. Ma solitude n'est pas peuplée de souvenirs mais de rescapés de mon enfance.

Il ne suffit pas à une nation de sécher au soleil l'infâme linge qu'elle a porté plus d'une décennie. Elle doit changer de peau. Peu importe que les bottes lustrées aient fait place à des mocassins de sport *made in USA* si les pieds ont gardé le pas martial. Même si, des années '60 à aujourd'hui, l'esprit de contestation a reflué, même si les tenants de l'ordre s'escriment à verrouiller les issues, la jeunesse vomit cette liberté asservie à la marchandise, ce capitalisme mâtiné de fascisme qu'on lui impose. « Entre l'ennemi et nous, il nous faut tracer une ligne de démarcation bien nette », merci à toi, Mao. La tactique de la guérilla et la stratégie anti-impérialiste doivent être subordonnées à la clarté du but : la mise en œuvre d'une autre société où les collectifs remplacent l'État. La riposte de la contre-révolution amenant de nouvelles offensives, une insurrection se prépare en Europe, laquelle frappera au cœur du système et radicalisera sa violence. Le temps des explosions approche. Balançant des colis piégés dans les partitions des fanfares militaires, le manuel de Marighela guide chaque main qui lance une bombe. Rien n'arrête un déferlement de colère. Aucune digue, aucun déluge de balles. Pour croître, la contre-révolution a besoin de serres. Pour s'emparer du jour, il suffit à la guérilla de s'épanouir à l'air libre.

Foutaises de dire que la base populaire n'est pas prête alors qu'elle est seulement intoxiquée par la propagande étatique et qu'elle travaille à se sevrer des poisons qu'on lui a inoculés. Foutaises de soutenir que, derrière nous, il n'y a personne, qu'entre nous et le peuple le lien s'est rompu alors que les masses comptent sur nous pour leur frayer la sortie. Ce n'est pas entre nous et la société civile que l'écart s'est creusé, mais entre la liberté et elle-même. De l'Amérique du Sud au Proche-Orient, de l'Europe au Japon, les mouvements de guérilla *déferlent*. Pour avancer, sur Brecht, il nous faut nous appuyer : « si tu pouvais enfin changer le monde, que n'accepterais-tu de faire ? Pour changer le monde : de la colère et de la ténacité. De la science et de l'indignation, l'initiative rapide, la réflexion profonde... C'est seulement en étant instruits de la réalité que nous pouvons changer la réalité ». Pour vaincre, sur notre détermination et la démoralisation de l'adversaire, il nous faut compter. Afin d'être les contemporains du dépérissement de l'État prophétisé par Marx, il nous faut d'abord grimper sur le ring de la planète et envoyer l'Amérique dans les cordes.

Les noms de nos morts recommencent à bourdonner en moi. Aux défunts se joignent les disparus, ceux que personne n'a plus jamais revus, qui ont quitté la scène du visible un beau jour, Ingeborg Barz, Angela Luther... Foutaises aussi les rumeurs insinuant que, n'hésitant pas à liquider ses mouchards et ses déserteurs, la RAF les aurait éliminés. Sur ce point, de *La Décision* de Brecht, nous nous séparons. La réplique « pourtant nous tuons non seulement les autres mais aussi les nôtres quand il le faut » est exclue de notre manifeste. Celui qui détient le monopole de la violence légale tire les ficelles du mensonge et du truquage de l'information.

Pour nous discréditer, l'État n'hésite pas à nous calomnier, distillant sa contre-propagande. Il n'est pas un jour où je ne pense à ceux et celles que l'engagement dans la cause révolutionnaire a conduits à la mort. Giangiacomo Feltrinelli, toi qui fus un ami précieux, toi qui, fils de millionnaire, éditas Pasternak, Soljenitsyne avant de t'engager dans la guérilla et de gagner le maquis, toi que la CIA traqua sans relâche, quelle romance révolutionnaire concoctais-tu pour le pylône que tu vouais à l'explosion et au pied duquel on te trouva sans vie en 1972 ? Tous ceux que le système a assassinés hurlent en moi, Malcolm X descendu en 1965, les camarades des Black Panthers tués en avril et en août 1968, fauchés en décembre 1969 avant le meurtre de George Jackson en août 1971, Carlos Marighela abattu par la police à São Paulo en novembre 1969, Eduardo Mondlane, le leader du Front de libération du Mozambique éliminé en 1969 sur les ordres de Gladio, une organisation secrète de l'OTAN, les émeutiers de la prison d'Attica descendus en septembre 1971, le chanteur Victor Jara dont les militaires de Pinochet brisèrent les doigts avant de l'exécuter en septembre 1973…

Voilà bientôt quatre ans que je me débats avec les matins blêmes… Voilà des semaines que nos différends se sont apaisés, Gudrun…

Le criminel, le fou, le suicidé, ils incarnent cette contradiction, ils en crèvent. Leur mort rend évidentes l'absence d'issue et l'impuissance de l'homme dans le système : soit tu te détruis toi-même soit tu en détruis d'autres – tu es soit mort, soit égoïste. Dans leur mort n'apparaît pas seulement la perfection du système. Ils ne sont pas *assez* criminels, pas *assez* fous, pas *assez* meurtriers. Et cela veut dire : une mort plus rapide causée par le système. Alors leur mort montre en même temps la négation du système : leur criminalité, leur folie, leur mort seront l'expression de la révolte d'un sujet détruit contre sa destruction, qui n'est plus un objet, mais un être humain.

Gudrun Ensslin, 1973.

L'histoire de *La Petite Fille aux allumettes* est constituée de « messages », évidents ou cachés (...) Dans mon enfance, j'ai connu Gudrun Ensslin, qui venait comme moi d'une famille de pasteur, très idéaliste, protestante dans un sens radical. Elle a rejoint la Fraction Armée Rouge et au début de cette douteuse carrière au sein d'un mouvement de protestation politique, elle a mis le feu à un grand magasin ; elle est morte en 1977, suicide ou meurtre, on ne sait, en tout cas victime d'une société indifférente, qui veut rester sourde et muette.

Helmut Lachenmann, à propos de son opéra *La Petite Fille aux allumettes* (1996), basé sur les textes d'Andersen, Gudrun Ensslin, Léonard de Vinci.

VIOLON

Prison de Stuttgart-Stammheim, avril 1976.

Depuis peu, je conjugue le présent au passé et le temps à l'éternité. La durée se jouerait-elle de moi ou réussirais-je à m'émanciper d'elle ? Pour voir à l'intérieur de Chronos, déchiffrer ce que l'avenir nous prépare, faut-il, comme Tirésias, avoir connu les deux sexes ? Dans un tremblement des contours mais une précision des images, je discerne la montée aux extrêmes que les nouveaux membres de la RAF imposeront à la lutte armée. Il est trop facile d'affirmer que nous n'avons pas voulu ça, qu'en frappant à l'aveugle, en procédant à des prises d'otages nos héritiers desservent notre cause. Il serait trop lâche de dire que nous ne savions pas que nous allions accoucher de cela. Mais il ne serait toutefois pas faux de prétendre que les fruits ne ressemblent pas aux fleurs qui les ont portés. De nous à eux, la lutte a changé de visage. S'il faut, afin que tout le monde bénéficie du soleil, dissiper les nuages qui en barrent l'accès, il serait injustifiable de bouter le feu aux étoiles, à la lune sous prétexte que le soleil en sortirait vainqueur. C'est sur ce point que mes craintes s'avivent car une fin n'autorise que les moyens qui ne la dénaturent point en son contraire. Or, l'objectif d'une liberté rouge à obtenir au terme d'actions de terreur et de chantage n'est plus qu'oppression. Une vie qui se gave de morts inutiles n'est qu'un charognard. Je me répète, je le sais, mais dans la lutte entre nous et l'État, le plus grand danger est de lui ressembler. Il faut jouer au plus fin avec les tenants de l'oppression et non pas reprendre à notre compte les méthodes de Horst Herold et la logique policière du système.

On ne soigne pas une pathologie politico-sociale par l'inoculation d'une autre maladie. Aucun des gestes de l'ennemi ne doit nous rattraper, pénétrer nos actions. Dans l'étoffe d'une révolution, il ne faut jamais coudre les parements légués par l'adversaire. Résister, s'opposer à une situation insupportable, c'est avoir la vigilance de n'hériter d'aucune de ses ruses. On ne se revendique pas de Proudhon si on recourt en sous-main au régime de la propriété. Retourner la logique de l'État contre lui-même n'autorise aucun calque de nos luttes sur sa terreur.

Une révolte qui éclate relaie toujours une insurrection antérieure. Sous le commandement de Spartacus, la poignée de gladiateurs échappés de l'école de Capoue et les troupes d'esclaves qui s'y joignirent combattirent pendant plus de deux ans des légions romaines qui essuyèrent défaite sur défaite. Dans ce soulèvement des laissés-pour-compte, des exclus de la citoyenneté, la mémoire des rébellions des bergers d'Apulie, des esclaves d'Étrurie, de Rome et de Sicile s'est d'un coup réveillée. Terre par excellence des guerres serviles, terre où le soleil rend fous de révolte les hommes et les bêtes, la Sicile grondait dans les troupes de Spartacus qui tenaient tête à Rome. Le pouvoir eut beau crucifier les six mille hommes menés par Spartacus, chaque esclave qui naissait reprenait le flambeau de la sédition au point où les puissants l'avaient éteint. Déviées ou non de leur ligne, les actions de la RAF irrigueront les offensives de nos descendants directs comme de nos lointains héritiers. Depuis peu, je conjugue le mouvement de Spartacus au présent tandis que je repousse dans le jadis mon aujourd'hui. Depuis peu, j'entrevois la sortie, Gudrun. En 132 avant J.C., en guise d'ultime protestation, un groupe d'esclaves en révolte se suicida, offrant à la Rome impériale une armée de cadavres.

Dommage qu'il ne neige pas au printemps… Dommage que le ciel présente de profondes lézardes là où, jamais, tu ne te fissures, Gudrun… Dépêchés par les plus hautes instances du pouvoir, les hommes de main sont là, tapis dans l'ombre, s'apprêtant à me pousser dans la dernière trappe. Du réel au possible, c'est dans ce mouvement que la révolution se loge. D'ici peu, les chiens du pouvoir me condamneront à résider sur le versant nul de toute montagne, hors adret, hors ubac.

Enfant, jouant du violon, je consolais les fleurs, les plaintes de la rivière, assemblant les notes en une peau éphémère. Par la musique, je cousais l'inexistant à l'existant, empêchant l'écorce du vieux chêne de s'effriter, les roses de se rompre le cou à la première brise. Le premier instrument de musique dut être l'œuvre du hasard. Un tibia troué par les crocs d'un sanglier où le vent s'engouffre, une calebasse fouettée par une pluie tropicale. L'homme a alors imité la virtuosité du vent et de la pluie, construisant hors de lui la flûte, le tambour. Sur les parois des grottes, n'a-t-il pas voulu retenir des sons qui jamais ne tiennent en place ? N'a-t-il pas fiché dans le bison les cris qui accompagnent la chasse, la mélodie des flèches qui arrête net sa course ?

Nyctalopes, mes yeux percevaient le royaume obscur de la musique... Le quatuor du feu, de la bise, de l'eau et de l'orage s'est tu désormais. De la consolation, je suis passée à l'action. Du violon, je suis passée à la Kalashnikov. Pourtant, ma mélancolie a repris le dessus ; la cause de la révolution ne l'a pas guérie. Plus de moi, plus d'Ulrike, mais pas de nous où vivre en communauté. Seulement un demain coincé dans une souricière. Seulement les hommes d'Helmut Schmidt à qui on a donné l'ordre de tourner mes pages à l'envers.

Dans les mois et les années à venir, Brigitte Mohnhaupt encadrera la RAF alors que, depuis longtemps, les étoiles encadreront mon corps. Helmut P., Christian K., Peter-Jürgen B., Inge V., Knut F., Rolf H., Verena B., Gabriele K.-T., Rolf P., Ingrid S., Sieglinde H., Adelheid S., Günther S., Monika H., Stefan W., Suzanne A., Johannes T., Willy-Peter S., Ralf Baptist F., Silke M.-W., Wolfgang B., Juliane P., Elizabeth von D., Friedrike K., Christof W., Sigrid S.... Notre relève est assurée. Je me cogne à mes murs sans fenêtres, je me fracasse contre les sept étages de ma mélancolie, j'ai trop peu de place en moi si bien que je ne peux qu'écrire, me projeter dans mes phrases afin de me rejoindre là où je ne suis pas. J'emporte avec moi une pensée de Pascal, « Ne pouvant fortifier la justice, on a justifié la force ». L'auteur des *Provinciales*, le physicien du vide avait tout compris. Entre la révolution en acte et moi se dressent les sept étages de Stuttgart-Stammheim. Merci pour ta machine à calculer, Pascal. Je m'apprête à appuyer sur la touche « soustraction » pour que les sept étages soient réduits à zéro.

J'attends une tempête de neige, non une pluie de cendres. J'attends que le moindre de mes globules porte le flambeau de la lutte. Écoute-moi, Gudrun, je t'en prie. « Ne pouvant fortifier la justice, on a justifié la force ». 9 mm, le calibre de mes substantifs, 11 mm, celui de mes verbes et, s'il te plaît, Gudrun, ne me rétorque pas que l'accord est boiteux. Calibrez vos diamètres révolutionnaires, sexuels, sentimentaux, Andreas et toi, et n'oubliez pas que le 7,65 mm du Browning se noie dans le 11 mm du 44 Magnum. Même si, depuis peu, le conflit s'est apaisé entre nous, Gudrun, les traces qu'il a laissées en moi me vrillent la chair. Je caresse une dernière image, un ultime espoir. Toute arme munie d'un rétroviseur tient en joue les officiants des charniers du passé.

L'histoire de l'ancienne gauche en R.F.A., c'est l'histoire de sa transformation en instrument, et donc l'affaiblissement de sa combativité par le parti communiste — qui est l'appendice de la R.D.A. — et de sa corruption par la social-démocratie à travers ses figures symboliques, ou mieux à travers ses masques: Heinemann et Brandt (...) La fonction particulière de la R.F.A. dans le système de la domination des États par l'impérialisme américain, et donc pour la stratégie du capital américain, est le produit de son histoire: de la création par les U.S.A. d'un État contre-révolutionnaire dans le conflit Est/Ouest (...) Parmi les raisons historiques profondes du rôle de la R.F.A. — le membre le plus puissant de l'.O.T.A.N. après les U.S.A., et l'État qui a la conception la plus étendue de la politique impérialiste après les U.S.A. — il y a la continuité avec le Troisième Reich (...) Cet État est devenu un instrument de la politique intérieure mondiale des U.S.A.

Ulrike Meinhof, *Histoire de la RFA et de la gauche traditionnelle,* 4 mai 1976.

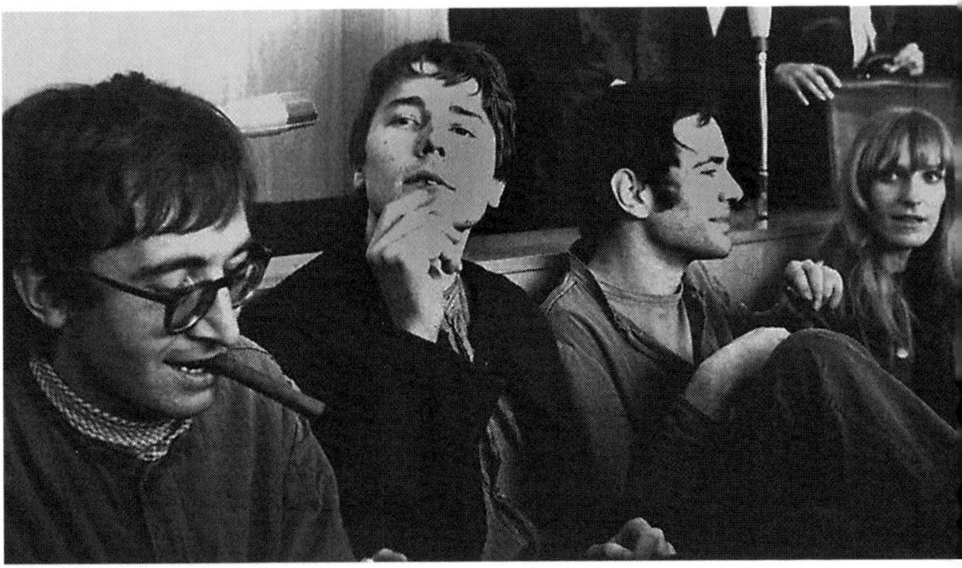

Thorwald Proll, Horst Söhnlein, Andreas Baader, Gudrun Ensslin, octobre 1968, lors du procès po
l'incendie de deux magasins de Francfort.

À PERTE DE VUE, LA NEIGE

Prison de Stuttgart-Stammheim, mai 1976.

Toujours ce sempiternel chassé-croisé, l'ordre au-dehors, le désordre au-dedans, le monde qui me défonce les tempes, mes tempes qui plongent mes yeux dans ma gorge, la révolution de l'eucharistie mais pas d'eucharistie pour la révolution… Ne jamais laisser les cris de l'insurrection déserter la bouche sur laquelle l'État pose un mors de métal. Ne jamais souffler sur la chandelle lorsque le grand incendie se prépare. Descendant au fond de moi, je vais épouser les flammes. Ayant acquis les dimensions de mon esprit, ma cellule a quitté les dimensions de l'espace et du temps. C'est à l'harmonie de toutes les coordonnées du réel que l'on reconnaîtra l'œuvre de la révolution. Joyce est trop rusé pour Dieu, voilà pourquoi il gagne toutes les parties ; qu'un homme puisse s'enivrer de l'effondrement de la tour de Babel, chérir l'exode et le foisonnement des langues, Dieu n'y avait jamais songé.

Je te laisse à tes aventures joyciennes, Gudrun. Le grand bordel des idiomes, le rut des langues mortes et des langues vives ont peu de charmes pour moi. J'aime les écritures qui rappellent le bruit de la neige, qui usent de douceur pour tomber sur le lecteur et balancent des phrases-igloos sous lesquelles on campe. Les grands sorciers du verbe me lassent par leurs pirouettes, l'ostentation de leur magie, les poses qu'ils affichent. Seuls ceux qui sont brûlés par les vocables sont obligés de les ressortir en neige au bout de leur athanor.

8 mai 1976... Le temps poussera tout au plus une demi-tête dans le 9 mai, enrayé par la machinerie de la mort. Sur le corps fasciste de la RFA, des commandos de la RAF déferleront, non sous forme d'averses de neige mais d'averses de plomb. Sous les pieds des juges suprêmes, des dirigeants de la finance, des hauts chefs de l'armée, nos membres dérouleront un tapis rouge de bombes. Ce ne sont pas des pantoufles de vair qui sauveront Cendrillon, mais des détonateurs en rafale. J'ai peur que l'État ne me fasse disparaître, qu'il ne liquide par la suite Andreas, Gudrun, Jan-Carl et les autres, qu'il n'incarcère Klaus Croissant. J'ai peur que le ballet des armes que lancera la RAF fauche à l'aveugle et confonde piqué et pointe,

entrechat et ciseau. J'ai peur que Mao meure dans le sillage de Zhou Enlai. Je passe en revue les morts de ce début d'année 1976, Zhou Enlai, Pierre Jean Jouve, Visconti, Max Ernst…

Le 21 mai 1975 s'est ouvert le procès contre Andreas, Gudrun, Jan-Carl et moi-même. Ce procès qu'on nous intente dévoile aux yeux de tous l'illégitimité de la justice. La mâchoire du Léviathan apparaît pour ce qu'elle est, une rongeuse de liberté, une broyeuse de soleil. « J'ai vu fermenter les marais énormes, nasses où pourrit dans les joncs tout un Léviathan ! », merci à toi, Rimbaud. Les tanks, les grenades, les torpilleurs… Depuis la guerre, tout est resté en place, a migré à l'intérieur des têtes, se fichant dans des corps habitués au dressage, aux moissons de morts, aux vendanges à côté des fosses communes. La génération de nos pères partageait les dindes de Noël avec leurs puissants dobermans.

Depuis 1945, la guerre s'est poursuivie sous un autre visage. La terreur est l'aliment de l'État ; inféodés au système, les médias nous accusent de la servir à tous les repas. La contre-violence que nous opposons à la brutalité étatique ne joue pas le noir contre le blanc, la charge positive contre la charge négative, mais appelle le lever des couleurs, l'au-delà des pôles électriques. Ne croyez pas au suicide d'Andreas, de Gudrun ou de Jan-Carl… Les pénitenciers allemands sont peu sûrs pour les prisonniers politiques. Le chancelier Helmut Schmidt, le procureur fédéral Siegfried Buback nous veulent morts. Leur scénario est prêt. Leurs armes piaffent, impatientes de nous estampiller à jamais. Les commis du système ont arrêté leur plan et veilleront à maquiller les assassinats en suicides. Rien de plus simple que la mise en scène d'un désespoir collectif, la révélation de fausses pièces à conviction. Ne croyez pas au suicide d'Andreas, de Gudrun, de Jan-Carl, d'Ulrike… Hier, j'ai reçu la visite de Giovanni Capelli, l'avocat de camarades des Brigades rouges emprisonnés. À deux, nous avons éclairci les stratégies de lutte à adopter, échafaudant de nouvelles lignes d'attaque en guise de défense, esquissant de nouvelles formes de militance. À deux, nous étions des milliers.

Je passe au travers des grains de la lumière, du tamis du temps. Descendre dans la durée, l'arpenter en sens inverse, se glisser dans l'enfance, c'est aussi faire revenir mon deuxième prénom, le sortir de l'oubli, de la crypte où il gît, Ulrike ayant enseveli Marie. Comment exhumer Marie sans intimer silence à Ulrike ? Les pas d'Ulrike ont-ils étouffé la danse dont rêvait Marie ? Non que les rêves de la seconde fussent étrangers à la première, mais qui veut gagner l'océan peut opter pour les voies fluviale et terrestre ou s'en remettre à la route céleste. Ai-je libéré Ulrike, l'ouvrant au vent du « nous », mais négligé de faire passer Marie par la fenêtre qui permit l'évasion d'Andreas ? N'ai-je déverrouillé que le seul « je » de mon premier prénom, abandonnant au tombeau l'autre partie de moi, de sorte que Gudrun, Andreas bondissent dans mes veines alors que Marie n'y a point droit de cité ? Ma sœur Wienke et moi aimions les forêts couvertes de neige, l'eau du ruisseau immobilisée dans la glace alors qu'elle continuait à s'écouler dans les profondeurs, le ravin aux sorcières. La neige ne confie pas le monde au sommeil, mais lui donne une autre respiration, plus ample, moins tendue.

Chaque hiver, le dur et le mou, le sec et l'humide, le couché et le debout étaient logés à la même enseigne. S'ouvrant en deux, le ciel balançait ses flocons. Un baptême, chaque fois neuf, se préparait. Alors que je venais de fêter mes dix ans, la grande égalité que la neige faisait régner sur le monde se brisa. Wienke et moi avions pris la direction de la forêt. Ayant craqué sous le poids de la neige, des branches de pins gisaient au sol; des pièges à chasseur laissaient parfois dépasser une herse rongée par la rouille. Une laie au groin tacheté de neige déboula. Elle se mit à fouir la terre gelée. Nous la suivîmes au centre d'une clairière bordée de massifs de fougères. Je vis alors un carré de terre brune, miraculeusement vierge de neige. L'égalité que la neige faisait pleuvoir sur toute chose se rompit. J'avais beau ramasser des poignées de neige, en recouvrir le sol resté glabre, rien n'y faisait. La glèbe restait à nu. Wienke avança que le bois avait été le site de violents combats durant la dernière guerre. Sans doute, l'endroit le plus touché par la mort ne tolérait-il une seconde peau ? Je hurlai que, plus que les autres, les morts avaient besoin des caresses de la neige. Je recommençai mon labeur, déposant une pyramide argentée sur cette chair sèche et poussiéreuse. Mes larmes gelées revêtiraient-elles ce carré de misère ? Je disposai mon visage au-dessus de l'endroit maudit et me livrai à mon impossible mission. De la laie, nous avions perdu la trace. En la neige, j'avais perdu confiance. Mon déluge lacrymal ne produisait aucun effet. Hostile, la forêt se refermait. Nous nous apprêtions à regagner la maison lorsque la découpe d'une feuille de fougère attira mon attention. Sa forme m'indiquait sa vocation. Du massif, j'en arrachai une brassée que je disposai sur la terre imberbe. Je n'eus pas à attendre le miracle. Protégé par son tapis de fougères, le sol accueillait la neige à bras ouverts. Avais-je eu recours à la ruse ou à la télépathie ? Je ne sais.

Je passe au travers des pollens lumineux, des sas du temps si bien que ce 8 mai 1976 libère la pointe de mon enfance. Je me couvre de lierre comme la maison que nous occupions à Iena, rue Am Anger 15. Je songe à la petite ville bavaroise de Berneck où nous avons vécu neuf mois, au milieu des clameurs qui signalaient la fin de la guerre tandis que de jeunes soldats américains défilaient dans les rues, acclamés par le soleil et le vent, conspués par une fraction de la population, libérateurs pour les uns, envahisseurs pour les autres. Je fonce tête la première vers la mort qui frappa mon père, Werner, le 7 février 1940, ma mère, Ingeborg, le 2 mars 1949, tous deux emportés par le cancer, tous deux historiens de l'art, historien aussi dans le cas de mon père. Je me fracasse le crâne contre le mur formé par tous nos morts, à la recherche de l'anti-mur, à l'affût de l'ouverture infinie, sans échec et mat.

Toutes les fuites se ressemblent, moins dans leur forme qu'en leur sens. L'abandon précipité de notre demeure à Iéna en juin 1945 trois jours avant que l'Armée Rouge ne pénètre dans la ville, ma fugue quotidienne loin de la lumière qui, en permanence, viole mon crâne. Tout est bon à Stammheim pour pratiquer l'excision des esprits rebelles, l'ablation de la jouissance rouge car il n'est d'autre orgasme au libéralisme que la castration des partisans de l'insurrection.

NE CROYEZ PAS…

Prison de Stuttgart-Stammheim, mai 1976.

Ne croyez pas au hara-kiri des combattants… Si la mort devait emporter Andreas ou Gudrun, Jan-Carl ou Irmgard, Ingrid ou tout autre camarade, sachez que la main qui a appuyé sur la détente est celle des dirigeants. Que la Fraction Armée Rouge soit décimée, l'État n'a pas d'autre but. Toute politique de libération doit être antagoniste à l'État, au parlementarisme vassal du capital. Il n'y a pas à conjecturer un grand architecte cosmique présupposé à la Création, ni à imaginer que son ouvrage eût été plus juste si les premiers êtres engendrés avaient braqué un P 38 contre sa tempe. Chaque jour, se rejoue la genèse du monde. Chaque jour, nos cohortes de poings défoncent les pommettes de l'oppression.

Le bruit le plus ancien de l'univers, celui qui expire des lèvres des vieilles étoiles, est le *la*. S'il n'y a pas de contre-diapason, il n'y a pas de mort. Pour déstabiliser le système, les actions anti-étatiques doivent se doter d'une nouvelle syntaxe, inventer des verbes qui courent dans des temps insoupçonnés, ajouter des cas inédits aux déclinaisons moribondes. L'allemand dont on a hérité sent trop l'esprit prussien, les convulsions du IIIe Reich. À nous de l'éveiller aux fêtes des noms qui n'ont jamais eu la parole, à nous de le lancer au-delà du réel officiel, là où les organes des sens s'ouvrent sur de nouveaux territoires. Il n'est pas d'acte révolutionnaire sans la création d'une autre diction. Voilà ce que nous avons négligé jusqu'ici, ce que 1789 avait saisi. Cheminer un collier de bombes dans la main droite sans la langue de Rimbaud dans la main gauche, voilà où se loge notre grand oubli, voilà pourquoi, à nous tenir à l'écart de Rimbaud, nos bombes resteront lettre morte. Une insurrection qui ne trouve pas sa voix poétique retombe dans les griffes du pouvoir ou se dénature en oppression. De là, le désespoir de Maïakovski qui culmina dans son suicide en 1930 ; de là, l'assassinat de Pasolini afin que les laissés-pour-compte n'aient point de poète au travers duquel gagner le rivage de la parole. « Je songe à une Guerre, de droit ou de force, de logique bien imprévue. C'est aussi simple qu'une phrase musicale », merci à toi, Rimbaud.

Sur le monde de demain, je m'allonge, transpercée par le froid qui monte du sol, par la nuit qui sacre la fin de ce 8 mai, répétant mentalement les gestes que je devrai accomplir pour contrecarrer le plan des dirigeants. Où que je tende l'esprit, la vue, l'ouïe, les bras, la neige s'étend à perte de vue, à perte de vie, me livrant son nouvel alphabet révolutionnaire, s'enroulant autour de mon corps afin de me protéger de leurs mains. Des montagnes du monde, je reçois la poudreuse qui coiffe leurs sommets. J'assiste à la lente transhumance des neiges en direction de la prison de Stuttgart-Stammheim. Impatiente de recueillir une salve de flocons, ma bouche s'entrouvre et se place à égale distance de ce qui cessera d'être et de ce qui sera. Sous l'avalanche, je me tiens, au carrefour des nouvelles géométries, contemplant le toit de la prison éventré.

Andreas, tes discours se télescopent en mon esprit. Les trois couleurs du phosphore dont tu nous vantais les nuances m'indiquent les trois teintes de la mort. Trépas blanc-jaune irradiant dans la pénombre, trépas rouge ou trépas violet-noir sous forme poudrée ou cristalline, il n'y a pas d'autres possibles... Fasciné par la vitesse des ondes dégagées par les explosifs brisants, ne t'irriteras-tu de la lenteur de ma déflagration ? La mélancolie est la plus inflammable des substances ; volatile, instable, elle ne se mélange qu'à elle-même, se tenant à tous les niveaux de la chaîne explosive. Ne me casse plus les pieds avec l'art des proportions, la loi des dosages et des sacro-saintes alliances, Andreas. Quand on allume une bombe, le feu d'artifice est intérieur, sans visibilité au-dehors. Pourquoi les morts chimiquement pures t'obsèdent-elles ? Avec 100 % de mélancolie tassée au fond de la gorge, il n'est besoin ni de calibrer l'incandescence ni de jauger la compatibilité entre corps… Tais-toi avec tes grenades de type M-26, avec ton circuit charge-explosive-charge-d'amorçage-détonateur-système-de-mise-à-feu. Mon corps ne requiert rien de tout ça puisqu'il sécrète sa propre dynamite sans l'aide d'Alfred Nobel.

Faire sauter les verrous de l'âme, les nécropoles où on allonge les vivants, les heures guerrières, les heures serviles, les œillères passées à l'intérieur de l'iris, les promenades sous terre… la RAF n'a pas d'autre legs. Les corps de l'Europe de l'Ouest et de l'Amérique asphyxient des millions de vies, les frappant d'un destin en forme de nécrose. À nous de caler nos index dans le gosier des puissants. À nous de sculpter la vague pétrie de soleil, de la surmonter d'un feu d'artifice d'embruns où les yeux de demain s'apprêtent à voir le jour. À moi la neige plus dansante que l'éclair, la mosaïque de flocons byzantins qui me tend la seule chance que je puisse saisir, à l'écart des lois de la mécanique, de l'acoustique, de l'optique. Mes pensées ont la légèreté du tulle, mais dessinent les mouvements de l'orage. Un orage de neige, un orage d'amour, qui échappe à toute musique de Wagner même s'il fait craquer les joues du ciel.

23 heures… Dans une heure, le 8 mai entrera dans la mort. Seuls sont fêtés les millénaires, les siècles qui trépassent. Qui songera à un enterrement pour les mois, les semaines, les jours ? Quelle Antigone honorera d'un deuil rituel les heures qui tombent à côté d'elles-mêmes, les minutes, les secondes qui chutent dans la non-vie ? Le calendrier de nos morts revient me hanter. Pourtant, j'ai la certitude que la révolution ne chutera point dans les chausse-trappes de la durée. Mes cerfs-volants d'enfant sont à jamais prisonniers des nuages, les nuages à jamais les otages du passé. Dans le labyrinthe de l'enfance perpétuelle, la neige est ce fil d'Ariane qui fond en silence.

Plus que quelques heures pour le rouler autour de ma cheville et trouver la sortie…

Plus que quelques heures pour le tendre dans ma cellule afin d'y faire trébucher les hommes de main tapis dans l'ombre…

L'inexprimable restera à jamais soustrait au jour.
Ma cellule se sépare du reste du monde.
Étouffer ma voix à jamais, ainsi en a décidé l'État.
Ne croyez pas au hara-kiri des combattants...
La dernière nuit qu'on me prépare, est-ce aujourd'hui ou hier ?

J'inspecte les rangées de livres que je ne lirai plus, inquiète à l'idée que, parmi eux, se trouve peut-être celui qui changera la face du monde, un frère de Rimbaud et de ses révoltes logiques. Me laissera-t-on le temps de terminer la *Grammaire philosophique* de Wittgenstein, de poursuivre au-delà de la page 85 ? Mon regard s'appesantit sur les écrits qui m'accompagnent depuis des années, Marx, Mao, Lénine, Trotski, Lukács, Bloch, Althusser, Foucault, mon regard bute sur les noms de Reich, de Sorel, de Rancière, de Barthes, ma main caresse les essais de Benjamin, André Gorz, Engels, Pannekoek, Merleau-Ponty, Negri, Chomsky, Deleuze... Au milieu d'eux, je cache la liasse de mes derniers écrits sur la révolution d'Octobre, sur la troisième Internationale, sur l'histoire de la RFA et l'impérialisme. Dans quelques mois, le verdict pour Andreas, Gudrun, Jan-Carl et moi; dans quelques mois, la mise à feu de l'État, l'assaut donné aux caciques de la finance, du gouvernement et de l'armée... La radio crachote le concerto pour violon de Mendelssohn. L'instrument est affamé, il dévore le royaume des sons et des couleurs, engloutit tout ce qu'il libère, ne laissant qu'une musique anémiée. Plus le violon se bâfre, moins la magie survit. Trop légères pour être piégées, quelques notes égrenées sur la chanterelle échappent au massacre. Partout, règnent les ogres. Même les archets peuvent être meurtriers, reprenant aussitôt ce qu'ils feignent de donner.

J'éteins le poste et savoure le silence. Par la fenêtre, le pan de nuit qui se découpe offre une paroi trop lisse pour que les étoiles puissent y grimper. L'alpinisme à l'horizontale, voilà ce que le système autorise. La transsubstantiation des mots en choses, nous n'avons pas d'autre credo. L'Allemagne ne se rendormira pas tant que nos actions fracasseront son sommeil. Demain ne sera pas le calque d'hier aussi longtemps que nos bâtons de dynamite dérégleront l'oppression capitaliste. Liberté de crever dans les pays du Tiers-Monde, liberté réduite au gavage des oies en Occident... Liberté, par nos actions, nous redresserons ton nom. Stammheim ne marquera point le terminus de notre combat.

Pour agir à rebours de la brutalité étatique, il faut aiguiser la violence. À chaque Juif assassiné, nos pères ont apposé leur bénédiction. À chaque Vietnamien éventré, nous hurlions un « Non ! » qui se prolongeait en grenades. À chaque *compañero* mis en joue par les juntes militaires, nous tendons une Kalashnikov ; à chaque Palestinien privé de sol, de liberté, nous murmurons « Victoire ! ». Ne nous reprochez pas la saleté de nos mains, les cendres des morts qui, au creux de nos ongles, s'accrochent. Garder nos mains dans la blancheur de l'inaction eût été le comble de la lâcheté et la meilleure manière de laisser prospérer la tyrannie. Ceux qui, se détournant de l'intervention directe, affichent et revendiquent leurs mains immaculées les voient, la nuit, se teinter d'un sang qui les affole comme il affolait Lady Macbeth... N'ayez pas l'indécence de procéder au bilan fatidique des morts que nous semons alors que vous la laissez prospérer à grande échelle. Donneurs de leçons, avalez le tableau noir, la craie et l'éponge avant de stigmatiser notre violation du jeu démocratique.

Aux analyses développées par Habermas, il y a selon nous un préalable : *la* forme que prend la prolétarisation de classe dans les métropoles, — l'isolement dû à une aliénation à tous les niveaux dans une production complètement étatisée (...) La liberté face à cet appareil n'est possible que dans sa négation totale, c'est-à-dire en attaquant cet appareil dans un collectif de lutte. Ce sera, cela doit devenir la guérilla si elle veut être une véritable stratégie, c'est-à-dire vaincre (...) chacun a compris ne pouvoir ce qu'il veut que collectivement (...) Il faut ici rappeler encore une fois qu'au début de toute initiative révolutionnaire — et nous pensons aux mouvements de grèves massifs qu'a connus la Russie en 1905, à la Révolution d'Octobre —, on en passe par la détermination et la volonté d'individus. C'est par leur médiation qu'un processus objectif, organique trouve une orientation, une durée, une cohérence, une stratégie, une continuité et donc devient une force *politique*. Pour Gramsci, la volonté est une condition *sine qua non* : la volonté forte constitue le moteur du processus révolutionnaire au cours duquel la subjectivité se fait pratique.

Ulrike Meinhof, *Fragment sur la structure du groupe,* début mai 1976.

NUIT DU 8 MAI 1976

Prison de Stuttgart-Stammheim, 8 mai 1976.

Dans la nuit de Stammheim, seule ma machine à écrire crépite. Même l'harmonica d'Andreas s'est tu. Une cataracte d'idéogrammes fécondera la terre stérile le jour où l'équateur déferlera sur Washington. À s'appuyer contre le parapet de l'Histoire, ceux qui vouent un culte aux croix gammées seront précipités dans le vide. Nos jambes courent plus vite que vos mains de docteurs honoris causa ès carnages. Qui ventile les faits en dotant le monde de fenêtres neuves s'apprête à cueillir l'événement. Quand le cubisme s'emparera de la scène politique, la grammaire des corps explosera, une gerbe d'yeux balayant l'œil cyclopéen du pouvoir. L'automate réglé de la Prusse dégorgera les Guernica qu'il a semés. Les idées que je déroule finiront dans le cendrier de Gudrun. Mais, j'ai confiance. Désormais, rien ne pourra calciner les actions de nos camarades. Le feu est notre allié.

Le loquet de la porte grince. Une odeur de fauve pénètre dans la cellule. On entrebâille un anti-temps pour ma seule personne. Je suspends ma dernière phrase et abandonne ma machine à écrire. La cellule est plongée dans le noir. Je fais un bond de côté pour échapper aux deux paires d'yeux qui s'avancent avec un bruit de grelot. Sur l'extrême bord de ma mémoire, je m'apprête à refermer la porte. Sur l'extrême bord du présent, je me mets à griffer les visages qui, sur moi, se jettent. Une sirène résonne au loin, grasse et obstinée comme le tohu-bohu des paquebots à Hanovre. Toutes les énergies en moi s'épousent pour repousser mes agresseurs qui, immobilisant mon corps, laissent mes idées à leur danse. Quatre mains se referment sur moi, vrillent leur folie dans ma bouche qui explose. Je n'ai que quelques secondes pour me changer en grenade ; je n'ai qu'un objectif : dégoupillée, leur éclater au visage. Mon jean arraché, ils déchirent mon chemisier rouge avant de s'attaquer à ma peau.

Par mes morsures, je désarticule leurs joues, leurs avant-bras, faisant monter en moi un barrage de mots, un barrage de feu. Alors que Stammheim s'enfonce dans un roulis sans retour, je suis jetée au sol, leurs mandibules en travers de mon cou, leur tango de mains balafrant mes seins. Faire de mon corps une arme, lâcher des salves chimiques, déverser un suc corrosif qui les brûle, tapisser mes orifices d'une danse de poignards… Même si mes hanches craquent, même si ma tête roule dans la grammaire de leurs organes mauves, mon chant de métal s'apprête à les ensevelir. Mes zones défoncées laissent intacte la vitesse de mes pensées. Le trapu me plaque dos au sol et me déchiquette de haut en bas, le colosse au visage plissé me déchire d'est en ouest si bien que, leurs mouvements s'annulant, je me recompose, une, multiple, tous les camarades de la RAF en moi. Il n'y a rien à évider puisque le « nous » peuple mon « je », puisque mon bas-ventre leur balance des bombes bicéphales, dodécaphoniques. Le tangage nocturne de Stammheim s'accentue. Allongée sous leurs bouquets de râles, je griffe leurs visages.

Sexe tombé à l'intérieur de la gueule fasciste, je compte leurs hoquets d'acier, recense mes régions éclatées.

Ma bouche n'entrera pas dans leur nuit, la poudre de mes os broyés étouffera leurs bégaiements de coqs de bruyère.

Ils ont voulu faire partir mon cerveau en fumée. Maintenant ils s'attaquent à mon corps entier, anti-formol de rage pour une promenade à l'intérieur d'Ulrike, pour saccager les terres de l'extrême gauche, deux phallus travaillent mieux qu'un bistouri et la lobotomie sexuelle soulève moins d'indignation.

S'ils traversent mon épiderme, ne pas les laisser traverser mon moi qui est un nous.

Ôter au râblé son rire ivre d'épines, diviser leurs abdomens par la physique quantique, lâcher mes trente-deux dents là où le pillage bat son plein, éviter qu'ils ne déboisent l'ensemble de mes entrailles, beignets au sperme, marmelade de mort et tutti frutti pour que le corps de la RAF ne soit plus rien, plus qu'un grand cimetière dans la nuit de Stammheim qui tourne sur sa pointe…

Ils me bourrent de pierres, de lombrics, d'une sémantique malade afin de m'expulser de moi mais ils ignorent que les ondes de la révolution n'ont pas de trajectoire déterminable.

Il est plus aisé de sectionner vagin, anus, sein, bouche, épaules que de s'en prendre directement aux neurones ; il est plus aisé de limer les dents que d'élimer les idées.

Électrochocs nouvelle manière, spécialité maison de la Bundeswehr, ultime carte du B.K.A., les deux rongeurs prennent d'assaut la moindre parcelle de ma chair, lâchant torpilles version slalom ou version brasse papillon.

Plus bourrelées qu'un intestin grêle, leurs langues propagent un bruit de grelots.

Leur mission les enivre. Dégrafer la rébellion jusqu'à ce qu'elle tombe en poussières, casser sa verticalité et la contraindre à ramper, à épouser la peur horizontale.

Mon nombril tombé dans mes talons, ma gorge bâillonnée par la mort... mon ciel se relève puisque ma terre ne le peut.

Saccagez le noyau, il me restera la périphérie. Saccagez la musique, il me restera les mots.

Ce que le pouvoir troue sur la droite se colmate sur la gauche.

Les flammes sont entre les mains de la poésie des interstices que tu nous as léguée, Rimbaud.

Éventrée, ici-gît U.M., la langue coincée entre deux colonnes de métal. K.O., U. M.
Les cornets à dés de l'ennemi déversent une hécatombe noire dans mes orifices brûlés,
la cicatrice de ma césarienne ondule,
des bouts de moi ricochent sur leurs crânes.
À l'extrémité des éperons qu'ils plantent en moi, je noue l'emblème de la RAF,
à descendre dans les terriers de la révolution, les deux rongeurs du dimanche y crèveront...

Mes organes en charpie, il me reste des vocables plus compacts que l'aurore.

Mon cerveau est le seul corridor qu'ils n'emprunteront jamais.
Il était une fois un 8 mai en avance sur la mort...
Il sera huit fois le 1er mai bardé d'œillets rouges.

*

Des bribes de leur cortex me creusent une tombe liquide.
Il me reste à sauter sur le dos du temps d'avant, à souder les molécules de toutes les guérillas, à décomposer mon nom en grenades.
Ils calent mon menton dans l'axe de leur démence, ils bourrent mon corps d'explosifs.
Me démembrer, revient à démembrer la RAF, telle est leur équation.
Leur pollen me donne le rhume des foins, mon dos s'ouvre en deux et libère une armée de combattants.
Sous leur excision syntaxique, mes lettres se dissipent une à une, entrejambes implosé, sucette de soufre dans la bouche.
Livrées aux orties des bois, mes lèvres tombent, dévalant les sept étages, chutant au travers des trous du temps.

La mémoire est la gardienne de mes perceptions, celle que j'étais il y a quelques heures reviendra dans celle qui n'est plus.

Embrochée, je tente de vomir le collier d'hameçons qu'on bloque au creux de mes reins, je tente de me placer au-dehors de moi.
Les deux polichinelles agitent leurs mottes de sperme.
Minuit s'approche alors que vingt-trois heures n'a jamais sonné.
Ma tête heurte le sol, ma tête rêve d'infini,
comprimé sous leur borax, mon thorax pleure, minuit aux alentours et midi en moi.
Mes doigts se changent en fourchettes à leur planter dans l'œil.
Qui circule en moi sera cryolisé, bombardé de cobalt.
L'hypothalamus d'Ulrike est trop étanche pour laisser le sperme s'infiltrer.
Le quadrilatère de leurs testicules qui gesticulent trépassera à la lumière de l'aube.

BESUCHER (I)

Je cours dans ma tête pour les semer.
« À défaut du cerveau, on a le reste » mugissent leurs crânes.
D'entendre en braille, je vois l'envers des choses.
Mes assaillants sont des morts qui s'ignorent.
De toute éternité ils sont perdants puisque la première personne du pluriel a supplanté la première non-personne du singulier…
Un obus exposant mille donne un corbillard, un corps-billard.
Les deux annélides obstruent ma respiration, pharynx, vagin, trompes bouchés.
Sauve-toi mon texte ; attends-moi sur le pourtour de la nuit, j'arrive.
Il était une fois le 8 mai…
Il sera huit fois le 1er mai.

Où sont les branches de gardénia auxquelles accrocher les miettes de mon moi ?

Cuirassé Potemkine touché, torpilleur coulé…
Les deux ténias sarclent mes couleurs centrales.

*

Le trapu ventru allume l'ampoule du bureau, il veut voir le saccage. Rien n'est à la hauteur de ses espérances puisqu'il reprend sa danse de mort de plus belle. Des copeaux de lune tombent dans ma gorge, les amygdales étant les amies des mygales, il m'enfonce une veuve noire au fond du gosier tandis que le colosse éternue giclures, brûlures, plantant râteau au cœur de la RAF. Les injections se succèdent, « à défaut du cerveau, on a le reste » glapissent les zélés serviteurs de l'État. Mes veines s'ouvrent à la mer, une mer de neige, ma peau s'arrache moins bien que mes cheveux qu'ils cueillent par poignées. Incisée au scalpel, dépecée, je contourne l'espace du dedans. Il était une fois une tempête de grains de pollen que le système faisait souffler au centre d'U. M. Il sera mille fois le ricochet des vagues contre le soleil. La révolution n'est pas une saison comme les autres, aucun de vos épandages ne la rendra stérile. Les clous que vous me faites avaler ressortiront en poings levés.

Stammheim tangue.

Délestés de leurs étriers, mes agresseurs n'ont guère le pied marin.
Mes omoplates réussissent à prendre la fuite mais pas le reste.
Pour glisser dans l'insaisissable, je tente de tout faire bouger en moi si bien que, croyant avoir affaire à ma langue, ils ont affaire à mon gros orteil, petit déménagement d'organes pour dérouter les mercenaires qui me désaccordent.
J'habite à côté de moi, coup d'épée dans l'eau, j'exit à quelques centimètres de mon enveloppe.
Leur coryza idéologique ne peut rien m'inoculer ; la guérilla est une usine à anticorps.
Angela Davis, Leïla Khaled sont à mes côtés.
Téton gauche étêté, côtes débitées en rondelles, trachée obstruée… entre deux suffocations, je m'agrippe à mes mots-silex.
U.M. c'est aussi de l'uranium minéralogiquement instable…
Il était une fois le laminage du 8 mai.

Vous avez réussi à m'écarter les jambes. Pas mon esprit.
Ne confondez pas mon corps avec un sapin de Noël, les boules de sperme que vous y accrochez, je les piégerai dans un effet boomerang.

Un seul centimètre carré de chair vierge de vous et je me reconstruis… Transpercée, je reste pleine ; couchée, je demeure debout.

En moi, vous avez beau descendre, jamais, vous ne ferez main basse sur les trois lettres de la RAF.

U. M. défaite, le R, le A et le F la relèveront.

Fermer mes lèvres par où la mort entre, inciter les spores de ma peau à se changer en pales, curieux d'ailleurs cet hélicoptère que Gudrun et moi avons entendu se poser aujourd'hui à Stammheim…

Les routes de la lutte armée ne sont pas éclairées, en moi, vous allez tomber sur un piège.

Même vissée au sol, ma tête reste nomade.

Plaquée sur le ventre, je tourne le dos à votre carrousel d'agonie.

Rien ne sert de redoubler d'ardeur… jamais vous ne dénicherez l'acronyme « RAF » même si vous balafrez nichons, défoncez alvéoles, pelez corolles.

Mon corps se continue en celui de Gudrun, d'Andreas, de Jan-Carl.

À moins de les rayer tous, vous serez bredouilles.

J'ai pour nom tous ceux que vous combattez.

Quand le Tiers-Monde éternuera, vos mouchoirs ne vous seront d'aucun secours.

Ceinturée, je demeure grenade.

Même si le temps joue au scrabble, vous ne coincerez jamais la RAF entre vos gencives baveuses.

Broyées, mes clavicules, ma poitrine regagneront
pourtant la mer.
Un « non » et un « non » ne donneront jamais un
« oui ».
Mon nom a plus de lettres que vos bouches de dents
puisque je m'appelle Ulrike, Gudrun, Andreas,
Jan-Carl, Ingrid, Irmgard…
Bientôt, vos bidoches finiront en macramé.
Les sept étages de Stammheim me piétinent,
mes cris bâillonnés par une serviette passent aux
infra-sons.
Le sol transpire, mon sang l'irrigue.
Criblée de coups sourds, je mords vos mémoires
volatiles.

BESUCHER (II)

Compter tamponnements, insultes, râles, dissocier chocs buccaux et décharges du bas, s'accrocher au bout de peau qu'ils n'ont pas estropié, dépêcher un corps astral pour les leurrer, grimper sur le toit de la révolution et leur laisser les caves… La mort affectionnant les lignes droites, je tente de me sculpter une anatomie tout en courbes. Leurs vits ne chanteront plus longtemps gondoles. Ils prennent mes ovaires pour des œufs de Pâques mais oublient qu'ils sont bourrés de dynamite. Sévices pelviens, défoncement du périnée, ma mâchoire qui broie du sperme… Compter relâchements, ahans, déchaînements et gouttes de sueur, compter ce qui en moi reste indemne, compter les minutes du 9 mai qui montent en chœur, en requiem…

Électrolyse d'Ulrike Meinhof ordonnée par les dirigeants de l'État, pas besoin d'être prix Nobel de chimie pour la mener à bien,

le pansu et le balèze feront l'affaire a-t-on pensé en haut lieu.
Un coup de grisou dans ma glotte tandis que mes galeries sautent…
Je perds mes terres, trop de leurs globules errent en moi, leurs groins fouissant les tissus de la RAF *cisaillent mon alphabet.*
Éparpillée, soumise à la vivisection, je joue mon hémorragie contre la leur, mes paupières voient mieux que mes yeux le piège oraculaire qu'ils me réservent.
Me garnir d'une herse de cris crantés pour qu'en moi ils n'engrangent leurs gazouillis pétrolifères qui font d'Ulrike une nappe grise…
Intercaler les poings de tous les camarades entre mon prénom et mon nom, entre mes genoux et mon front…
Ne pas laisser s'effriter ma forme, ma clôture même si, à l'intérieur, tout est bousillé, contenir la crevasse qui me lézarde, endiguer le creusement du grand canyon, s'arracher à la gueule de leurs volcans en leur récitant Malcolm Lowry…

Vous ne glisserez jamais l'alpha de la révolution dans vos deltas embourbés, puisque vous ceinturez mes lèvres, la nuit qui grince des dents.
Qui épile la lutte armée tombera sur des chardons car aucun défoliant ne la dévaste…

Moulinets de carbone 14 qui mugissent dans mon abdomen et pas de fée Gangrène pour nécroser leurs verges…
Leurs coups de boutoir édentent la bouche du temps, le sexe du râblé tire une rafale de balles dans la mienne, rafale millésimée grand cru de mort aux fruits confits, avant-goût de l'outre-tombe, espace intérieur implosé, espace du dehors gercé.
La saison fasciste bat la mesure des semailles, la mort cartonne en RFA. Centimètre par centimètre, il me faut récupérer mes mailles qui filent au vent. La lumière javellise leurs visages qui s'égouttent, triolets de sueur pour me composer un suaire acide.
La nidification de mai bat son plein, même pas besoin de compteur Geiger pour dénombrer les décharges radioactives,
Hiroshima en plein bas-ventre et pas de D.D.T. spermicide.
C'est empalée, empaillée, bourrée de fourrage en gelée qu'ils me veulent, confiture-cactus sur une des tartines de la RAF.

Celui qui guérira l'Allemagne de la guérilla en la jetant dans un four crématoire sera décoré de médailles olympiques.

Épandant leur bave, les deux escargots me font ingurgiter leurs pédoncules au goût de radis noir.
Je pense lyophilisation afin d'accélérer la vitesse de sédimentation de leurs alluvions et de minéraliser leurs toupies.
Débarquement à Clystère pour Ulrike puisque le lavage de cerveau a échoué, inoculation d'amibes, colonisation musclée, ablation des méridiens capillaires, dorsaux, fessiers, avalanche de crèmes battues pour un dernier souper…
Il ne faut pas que mes yeux disent adieu à mon regard…
Coude en travers de l'oreille, couilles moussues grignotant mes lignes… l'éparpillement d'Ulrike entre dans sa phase finale.
Quand la dernière digue cédera, le soleil sera noyé.
Ensevelie sous les sept étages, je tombe au travers de ce qui fut moi.
Ma vie à l'envers signera leur mort à l'endroit.

Et comme dans cette cellule, il n'y a pas de barreaux aux fenêtres où accrocher une ceinture ou un drap torsadé pour se pendre, ils me donneront eux-mêmes un coup de main… peut-être plus qu'un coup de main. Du travail bien propre. Propre comme cette social-démocratie qui se prépare à me tuer… dans l'ordre.

Dario Fo et Franca Rame, *Moi, Ulrike, je crie…*, pièce de théâtre.

AUJOURD'HUI LA RÉVOLUTION

Bruit d'étoffes, ceinture qui repasse dans la boucle, braguettes que l'on remonte, traînée de sang sur ma fesse gauche, nuit qui éponge mes douleurs... Je me relève, ils me plaquent au sol, je leur assène un regard vitriol. De leurs poings, ils bâillonnent ma bouche, peaufinant une attaque en rase-mottes. Le hors-d'œuvre a aiguisé leur appétit. Leurs gestes sont gauches, le sort qu'ils me réservent leur échappe. Malhabiles, leurs mains laissent glisser la serviette préposée à la solution finale. Stammheim dort. C'est l'heure où l'on me précipite hors de la luge du temps, c'est l'heure où l'on m'ordonne le grand saut dans la dernière neige, à l'endroit où la ligne droite se défait en cercle. Lorsqu'elles arrangent les faux flocons en un collier autour de mon cou, leurs mains tremblent. Rien ne ressemble plus au début du monde que la neige.

Le blizzard me rend à la nuit. Je mène mon dernier combat, dressant les minutes qui me restent contre leur heure assassine, balançant les trois lettres de la RAF sur leurs fronts luisants. Les flocons qu'ils enserrent sous mon menton se heurtent à mes flocons de révolte pure dont la vitesse outrepasse les 400 mètres par seconde, les 800 coups par minute du pistolet mitrailleur MP5. Afin de mieux toréer, l'un des hommes noie à nouveau la cellule dans un sabbat de lumières. Oméga, la dernière lettre à passer autour de leurs cous tandis qu'ils s'efforcent de me faire passer dans le O d'omicron, « Oméga rayon violet de Ses Yeux ! », merci à toi, Rimbaud. Ils veulent que ma tête coure après mes pieds, que le haut regagne le bas.

Trop petits pour leur mission, ils font bégayer le plan. Ils escomptaient une élimination aseptisée, pas une lutte avec la matière, pas une lente asphyxie. Ils ne savent pas que la mort est un battement d'ailes de papillon, qu'Ulrike saute au-delà de l'espace-temps, que la révolution est un lieu hors lieu, à l'écart des étendues féroces. Tandis qu'ils s'activent à me faire disparaître dans la lettre O que dessine la serviette, je rêve de faire chuter l'alphabet de pierre de Stammheim, de détacher le 9 mai du calendrier du meurtre. Afin de maquiller leur acte, ils m'imposent en guise de départ une lettre grecque, sans *Umlaut*, loin d'une écriture gothique où mugissent les diphtongues.

Moi, née de la lettre, ils m'intiment d'y retourner. Au fond de moi, la voix de ma mère chantonne « si la tête du chat passe, tout le corps peut s'engouffrer ». Dans la phrase de ma mère réside mon seul espoir. Que ma tête passe trop bien et déjoue la circonférence, que le cercle formé par la serviette se dilate. Il me reste quelques minutes pour inventer un nouveau pacte avec l'oxygène, pour le sécréter de l'intérieur et transformer la lumière en ozone. Il me faut raréfier leurs consciences, la diluer dans un gaz létal avant qu'ils ne me fassent suffoquer... Je livre ma dernière bataille, opposant la neige de l'insurrection à la fausse neige du pouvoir. Les cartouches ennemies gagnent du terrain, emportant mes yeux, mes oreilles dans une déflagration blanche. D'ici peu, en ma personne, la voûte du ciel et la croûte terrestre se seront rejointes.

Stammheim dort d'un lourd sommeil hérissé de lances de lumière. D'un chiffon enduit de chloroforme, ils entravent mes cris. Le 8 mai s'est éteint à jamais. Vingt doigts s'activent à me soustraire au monde. Du chloroforme, j'ai fait un allié, ses effets sont neutralisés. Appuyer sur mes jugulaires ne suffit à étouffer la révolution. La neige m'insuffle l'air qui me manque. Ma colère leur explose au visage. Ils échoueront à m'étrangler car la chimie, ayant inventé d'autres lois, je respire par les oreilles, les sourcils.

Ralliant le fleuve de ma rage, les rayonnages de livres, mes piles d'écrits, Led Zeppelin s'ébranlent pour terrasser mes agresseurs.

Mes yeux sautent déjà au-delà de la cellule, dévalant les sept étages. Depuis l'enfance, mon regard est en avance sur mon corps. Depuis l'aube des temps, le monde est en retard sur sa promesse.

Mes actes seront-ils condamnés à se voir incompris ? Ma démarche réduite à une pantomime sanglante, à la syntaxe de la terreur ? Là n'est plus la question. À celui qui tente d'ouvrir le temps, on reprochera la grossièreté de ses mains calleuses. Il ne fait aucun doute que mon engagement sera caricaturé par les éternels assis, qu'on révoquera ma lecture bâtarde de l'Histoire. Il ne fait aucun doute que l'on s'empressera de diaboliser, dépolitiser mes actions, d'en faire l'expression d'un fanatisme aveugle et borné.

Il n'est pas vrai que l'âge progresse à la même vitesse dans toutes les parties du corps, descendant dans la rate, les poumons au rythme où il meurtrit la peau et les muscles. Imperméables à la ronde des saisons, mes yeux ont gardé l'âge de ma jeunesse. Les organes touchés par la vieillesse s'étonnent de côtoyer des zones encore pubères. Sous le poids des deux hommes, mon corps tangue, imprimant à la cellule un balancement sauvage.

Mes actions seront-elles déviées de leur sens, de leur portée révolutionnaire, rabattues sur des délits de droit commun ? Notre mouvement se verra-t-il amputé des possibles qu'il a fait se lever, conspué pour l'étroitesse de ses analyses ? Là n'est pas la question. Aucune poignée de sable n'éteindra les flammes que nous allumons afin de mettre fin à l'amnésie de l'Allemagne.

Je rêve que la chaise sur laquelle ils me hissent chute au travers des sept étages mais je ne veux pas rejouer Blanche-Neige et les sept nains.

J'ai peur qu'ils me précipitent dans un lieu intermédiaire, vierge de neige, dans le purgatoire des balles perdues,

j'ai peur de ne pouvoir passer au-delà du roulis et de me retrouver sur l'envers des choses, mes yeux bruissant de vie accrochés à mon corps mort. L'oxygène montera-t-il de mes pensées, de ma fureur ?

Andreas me dépêchera-t-il un filet d'air, Thomas Mann une *Montagne magique* chargée d'une atmosphère des cimes ?

Aurai-je le temps de troquer mes bronches contre des ouïes, de me lester de branchies, de lenticelles ?

Si la lutte armée inspire et expire par la paume des mains, par la plante des pieds, je n'ai qu'à me calquer sur elle et modifier la fonction des organes. Dans la version officielle, on fera de moi la sœur de Jocaste, d'Antigone, de Nerval. Mais ceux qui ouvriront le ventre de l'Histoire sauront qu'on me fit partir comme on supprima Jeliabov et Perovskaïa, Sacco et Vanzetti.

Au travers du nœud coulant, mon cou suffoque. Ils ont beau me dicter la sortie, je saute sur l'équateur du monde libre, à l'endroit où l'Histoire ancienne tombe en poussières. Dans *A Whiter Shade of Pale*, je descends, portée par une immense banquise où des fleurs-violons m'attendent. J'ai rejoint des galaxies de nacre où m'accueille une tempête d'étoiles rouges.

À perte d'étendue, la neige, sa géométrie lissant le hasard, sa diction sans ponctuation ni accroc. Wienke, si tu venais à entendre que je me suis ôté la vie, sache avec certitude qu'il s'agit d'un meurtre. Aux juges qui, où que j'aille, m'apostropheront tandis qu'ils continueront à tirer dans le dos des siècles, je dirai « aujourd'hui la révolution ».

Funérailles d'Ulrike Meinhof, 15 mai 1976, cimetière Trinity à Berlin-Mariendorf.

POST-SCRIPTUM

Extraits de la déclaration de la Commission internationale d'enquête sur la mort d'Ulrike Meinhof.

« Au terme de son travail, la Commission internationale d'enquête sur la mort d'Ulrike Meinhof a pris connaissance du rapport ci-après établi par son secrétariat (...) Pour résumer le sentiment sur lequel s'est fait l'accord de ses membres, la Commission a constaté :

— qu'Ulrike Meinhof a été soumise à plusieurs reprises et pendant de longues périodes à des conditions de détention que l'on est obligé de qualifier de torture. Il s'agit de cette forme de torture qu'on appelle isolement social et privation sensorielle, communément appliquée en République fédérale d'Allemagne à de nombreux prisonniers politiques et de droit commun ;

— que la thèse des autorités de l'État selon laquelle Ulrike Meinhof se serait suicidée par pendaison n'est

pas prouvée et que les résultats de l'enquête de la Commission tendent à montrer qu'Ulrike Meinhof n'a pu se pendre elle-même ;
— que les résultats de l'enquête suggèrent qu'Ulrike Meinhof était morte lorsqu'on l'a pendue et qu'il y a des indices troublants de l'intervention d'un tiers en relation avec cette mort

(...) Il y a d'autres résultats qui inquiètent. Les deux rapports d'autopsie mentionnent un œdème important dans les parties génitales extérieures et des tuméfactions sur les deux mollets. Les deux rapports mentionnent une éraflure couverte de sang caillé sur la fesse gauche. Le rapport Janssen mentionne aussi une ecchymose à l'endroit de la hanche droite. L'examen du slip de la détenue révélait des taches suspectes. Les analyses chimiques de sperme avaient selon la déclaration officielle, un résultat positif, malgré l'absence de spermatozoïdes

(...) La corde a donc été raccourcie entre les deux mesures (...) La boucle primitive mesurait donc 80 cm (68cm+12 cm) environ. C'est dans une telle boucle que fut pendue Ulrike Meinhof. En mettant ainsi à la disposition des experts une boucle de 51 cm de circonférence, c'est-à-dire raccourcie de 29 cm (80-51cm), on les a empêchés de reconnaître la problématique de la pendaison de Mme Meinhof et on les a induits en erreur (...) les circonstances de la pendaison ont été falsifiées par le raccourcissement, de 29 cm, de la boucle dans laquelle Ulrike Meinhof était pendue

(...) Il ressort donc des circonstances de la pendaison que celle-ci n'a pu être arrangée qu'après la mort et en utilisant la raideur cadavérique

(...) Pour la position du corps, il existe des versions qui s'excluent mutuellement

(...) La réunion de ces contradictions, faits et indices, que nous avons révélés et dont nous avons apporté la preuve, aussi bien dans le domaine médical que criminologique, excluent le suicide comme cause de la mort d'Ulrike Meinhof. Un tribunal allemand a lui-même reconnu que la conséquence logique que n'importe quel lecteur moyen peut tirer de la réunion de ces faits est l'accusation de meurtre

(...) Le résultat des enquêtes, exposé ici, conduit nécessairement à soupçonner qu'Ulrike Meinhof est morte par l'intervention d'un tiers

(...) Pour fonder la thèse du suicide, le Parquet fédéral lança le bruit de « tensions » entre les prisonniers, qui auraient été à la base du suicide d'Ulrike Meinhof

(...) Il n'est pas impossible que la mort d'Ulrike Meinhof ait trouvé sa place dans le projet d'une stratégie des services secrets pour combattre la R.A.F.

En ce cas, ce serait son « suicide » qui aurait été chargé de faire apparaître à chacun à quel point sa politique et celle de la R.A.F avaient été un échec et que, par son « suicide », elle avait elle-même reconnu cet échec ».

Passages tirés de *La Mort d'Ulrike Meinhof. Rapport de la Commission internationale d'enquête*, François Maspero/Cahiers libres, Paris, 1979.

Tombe d'Ulrike Meinhof, cimetière Trinity à Berlin-Mariendorf.

Index des noms cités

Table des matières

Imprimé en Belgique
octobre 2020